Quand nos grands-mères cuisinaient en Provence

À Anne et Charles

D1239267

© ÉDITIONS ÉQUINOXE
La Massane
Les Joncades Basses
13210 Saint-Remy-de-Provence

ISSN 1276-4416

www.editions-equinoxe.com

Quand nos grands-mères cuisinaient en Provence

Frédérique Féraud-Espérandieu
Illustrations Cécile Colombo

TYPOGRAPHIE & MISE EN PAGE DE YVES PERROUSSEAUX

ÉQUIN●XE

Avant-propos

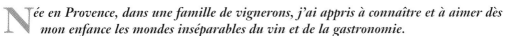

Née en Provence, dans une famille de vignerons, j'ai appris à connaître et à aimer dès mon enfance les mondes inséparables du vin et de la gastronomie.

La bonne chère, toujours respectée à la maison, était le domaine réservé de mes aînées qui m'ont fait découvrir très tôt les charmes de la cuisine provençale. Comment ne pas partager leur passion pour l'art et les plaisirs de la table ?

C'est en les regardant mitonner nos traditionnels repas de famille que je me suis naturellement imprégnée, au fil des saisons et des années, des gestes dosés et méthodiques des mère, grands-mères et tantes.

Elles m'ont confié ou légué sur des pages jaunies de vieux cahiers de cuisine quelques secrets ancestraux destinés à mettre en valeur les saveurs subtiles et aromatiques des produits de la Provence.

On peut avoir l'impression que le savoir-faire et le tour de main relèvent parfois de la magie, mais il faut cependant connaître les grands principes de l'art culinaire.

Dans l'espoir de perpétuer ce modeste héritage, je viens proposer à mes enfants, à mes amis et aux amoureux de la gastronomie de découvrir dans cet ouvrage quelques règles d'or de la cuisine provençale ainsi qu'un certain nombre de recettes.

Les unes sont nouvelles, d'autres sont traditionnelles et enfin certaines ont été reprises et interprétées avec une petite touche de modernité. Cette perpétuelle évolution de la cuisine vers des concepts de préparation nouveaux permet souvent de valoriser certains produits en obtenant plus de légèreté et de finesse en bouche.

N'oublions pas toutefois que la cuisine provençale est une cuisine de nuances et qu'il importe de ne jamais trahir l'équilibre des senteurs du terroir dans l'assiette.

Toutes les recettes qui vous sont suggérées sont simples et rapides à réaliser mais teintées d'une petite note d'élégance et de raffinement car c'est ainsi que j'aime recevoir ceux qui me sont chers.

Menu

VIANDES, VOLAILLES ET GIBIER

SAUCES

DESSERTS

Soupes
&
potages

Aigo boulido

Préparation : 10 minutes
Cuisson : 15 minutes
+ 10 minutes d'infusion

Ingrédients pour 6 personnes :
1,5 l à 2 l d'eau,
6 gousses d'ail,
2 feuilles de sauge,
1 feuille de laurier,
1 branche de thym,
24 tranches de baguette de pain grillées,
1 bol de gruyère râpé,
huile d'olive,
sel,
poivre du moulin.

Mettez l'ail épluché, le thym, la sauge, le laurier avec 2 cuillerées à soupe d'huile d'olive dans l'eau bouillante salée et poivrée et faites cuire l'ensemble pendant 15 minutes. Mettez la casserole hors du feu, couvrez-la et laissez infuser la préparation pendant 10 minutes. Rectifiez l'assaisonnement.

Pendant ce temps disposez les tranches de pain grillées (que vous pouvez ailler) dans les assiettes. Versez un filet d'huile d'olive dessus, saupoudrez d'une pincée de gruyère râpé et versez la valeur de 2 louches de bouillon dans chaque assiette.

Ce potage maigre se consomme en général les lendemains de fête car il a des vertus digestives. L'appellation provençale de « l'aigo boulido » se traduit par « l'eau bouillie ».

Bouillabaisse

Préparation : 1 h 30 mn
Cuisson : 30 minutes

Ingrédients pour 6 personnes :
2 l d'eau environ,
3 kg de poissons de bouillabaisse *(rascasse, petits poissons*
de roche, bar, grondin, lotte,
congre, saint-pierre, chapon,
girelle..., 4 à 5 espèces suffisent
pour assurer une bonne bouilla-
baisse),
2 oignons moyens émincés,
2 blancs de poireaux hachés,
3 grosses tomates bien mûres,
1 branche de céleri vert,
huile d'olive,
fenouil, persil, laurier, thym,
safran,
piment de Cayenne,
1 morceau d'écorce d'orange,
24 tranches de baguette de
pain grillé,
10 gousses d'ail,
1 bol d'aïoli (250 g environ),
1 tasse à café de rouille.
Consulter ces deux recettes dans
la rubrique « Sauces ».

Écaillez, videz les poissons, mettez-les dans un plat en ayant soin de séparer les poissons que l'on réserve pour le « fond » de soupe (poissons de roche, rascasses, poissons à chair friable mais savoureuse) et les poissons à chair plus ferme que l'on fera cuire plus tard dans le bouillon.

Faites étuver les oignons, les poireaux, les tomates épépinées, le céleri, l'écorce d'orange et 5 gousses d'ail pilées dans un grand faitout avec 7 ou 8 cuillerées à soupe d'huile d'olive pendant 10 minutes environ. Jetez-y les poissons de roche, les rascasses et autres poissons qui permettent de constituer le fond de soupe.

Mouillez avec l'eau chaude, ajoutez une feuille de laurier, quelques grains de fenouil, un brin de persil, deux pincées de safran et de piment de Cayenne, sel et poivre. Faites cuire pendant 8 minutes à partir de l'ébullition.

Retirez alors le poisson avec une écumoire, passez-le dans un presse-purée afin d'en exprimer tout le suc que vous reverserez dans le bouillon. Amenez celui-ci à nouveau à ébullition puis ajoutez les poissons restants et laissez-les cuire pendant 10 minutes environ.

Dressez le poisson avec précaution sur un plat. Versez le bouillon sur les tranches de pain aillées. Présentez l'aïoli et la rouille en même temps.

Ce plat régional fait toujours beaucoup d'effet, soyez méthodique dans sa réalisation et tout ira bien.

Bourride

Préparation : 40 minutes
Cuisson : 30 minutes

Ingrédients pour 6 personnes :
2 l d'eau,
2 kg de poisson blanc varié
(baudroie, merlan, bar, dorade,
vive... et éventuellement des
crustacés),
1 gros oignon,
2 blancs de poireaux,
1 carotte,
6 pommes de terre,
1/4 de bulbe de fenouil,
persil,
1 morceau d'écorce d'orange
(5 à 6 cm environ),
3 jaunes d'œuf,
3 dl de vin blanc sec,
huile d'olive,
1 bol d'aïoli *(voir la recette*
dans la rubrique « Sauces »),
sel,
poivre du moulin.

Écaillez, videz, nettoyez les poissons, coupez-les en tronçons. Mettez dans une casserole l'oignon, la carotte, les poireaux émincés, le fenouil, le persil, le bouquet garni, l'écorce d'orange et rangez les poissons dessus. Assaisonnez de sel et de poivre, couvrez avec le vin blanc, l'eau chaude et 3 cuillerées à soupe d'huile d'olive. Faites cuire pendant 15 à 20 minutes à partir de l'ébullition.

Retirez les morceaux de poisson et les légumes, maintenez-les au chaud. Laissez réduire le bouillon encore pendant 10 minutes et passez-le au chinois.

Fouettez dans un bol 3 jaunes d'œuf avec une cuillerée d'aïoli par personne puis versez peu à peu en tournant avec une cuillère en bois ce mélange dans le bouillon jusqu'à ce qu'il s'épaississe légèrement et nappe la cuillère. Ne plus faire bouillir.

Présentez le poisson sur un plat, versez la soupe dans les assiettes, servez en même temps des pommes de terre bouillies et le restant de l'aïoli.

Cette soupe fait office de plat unique, il faut prévoir un dessert léger comme une glace aux fruits pour terminer le repas.

Consommé de poivrons rouges

Préparation : 10 minutes
Cuisson : 25 minutes

Ingrédients pour 6 personnes :
1/2 l à 3/4 l d'eau,
6 gros poivrons rouges,
6 cuillerées à soupe d'huile
d'olive,
20 g de beurre,
2 à 3 cuillerées à soupe de
crème fraîche,
1 cuillerée à café de sucre,
tabasco,
4 pincées de ciboulette
hachée,
sel,
poivre du moulin.

Lavez les poivrons, coupez-les en dés après avoir enlevé les graines et faites-les revenir dans une casserole avec un mélange de beurre et d'huile. Salez, poivrez, mouillez avec l'eau. Laissez cuire à feu assez vif pendant 20 à 25 minutes.

Versez la préparation dans le robot avec la crème fraîche, la cuillerée de sucre et 6 ou 7 gouttes de tabasco. Mixez le tout et rectifiez l'assaisonnement.

Ce potage est simple à réaliser, il se consomme chaud ou glacé, saupoudré de ciboulette.

Soupe à l'oseille

Préparation : 25 minutes
Cuisson : 35 minutes

Ingrédients pour 6 personnes :
1,5 à 2 l d'eau,
500 g d'oseille fraîche,
4 pommes de terre de taille moyenne,
1 pincée de cerfeuil frais,
1 pincée de noix muscade moulue,
2 jaunes d'œuf,
25 g de beurre,
3 cuillerées à soupe de crème fraîche environ,
sel,
poivre du moulin.

Nettoyez l'oseille, retirez les côtes, lavez-la abondamment, égouttez-la.

Faites-la revenir dans une casserole avec 2 cuillerées à soupe de beurre, sel, poivre et une pincée de noix muscade pendant 4 à 5 minutes. Réservez.

Mettez l'eau à bouillir avec sel et poivre, plongez les pommes de terre coupées en morceaux dans l'eau bouillante, et, au bout de 25 minutes, ajoutez l'oseille et laissez cuire encore pendant 10 minutes.

Retirez le potage du feu, incorporez le mélange de jaunes d'œuf et de crème et passez l'ensemble de la préparation dans le mixer. Rectifiez l'assaisonnement.

Ce potage se sert chaud, saupoudré de quelques brins de cerfeuil frais ciselé.

L'oseille fraîche ne se trouve pas toujours facilement sur le marché. Vous pouvez en acheter une quantité bien supérieure à celle dont vous avez besoin pendant la bonne saison. Faites alors fondre le supplément d'oseille dans une casserole avec un peu d'eau pendant 3 ou 4 minutes. Égouttez-la et conservez-la dans le congélateur.

Courge

Soupe au pistou

Préparation : 45 minutes
Cuisson : 1 h 15 mn

Ingrédients pour 6 personnes :
2,5 l d'eau,
100 à 150 g de petit salé ou
poitrine de porc fraîche,
1 gros oignon,
4 grosses tomates bien mûres,
4 petites courgettes,
2 poireaux,
1 branche de céleri,
2 poignées de haricots verts,
3 pommes de terre,
100 à 150 g de haricots blancs
frais et égrenés,
gruyère râpé,
huile d'olive,
sel,
poivre du moulin.

Pour le « pistou » :
60 à 70 g de feuilles de basilic,
3 gousses d'ail,
huile d'olive,
sel,
poivre du moulin.

Détaillez tous les légumes en petits dés (1 cm d'arête environ) ou en bâtonnets (2 cm de long environ) suivant leur forme.

Émincez l'oignon, faites-le blondir dans une grande casserole avec le petit salé haché et 2 ou 3 cuillerées à soupe d'huile d'olive. Ajoutez les tomates épépinées, sel, poivre et laissez cuire pendant quelques minutes. Versez 2 litres d'eau froide environ, mettez-y les haricots blancs frais et portez à ébullition pendant 15 minutes, ajoutez les haricots verts, les pommes de terre, les poireaux, la branche de céleri, les courgettes en dernier. Salez, poivrez et faites cuire doucement pendant une heure.

Pendant ce temps, mixez les 3 gousses d'ail dans le robot avec les feuilles de basilic, une pincée de gros sel, de poivre, 6 cuillerées à soupe d'huile d'olive environ et 3 cuillerées de bouillon de cuisson jusqu'à obtention d'une pommade pas très épaisse. Cette préparation constitue le « pistou ».

Mélangez bien la soupe et le pistou dans la soupière, rectifiez l'assaisonnement. Vous pouvez présenter un bol de gruyère râpé à part.

Ce potage se consomme essentiellement dans le Midi ; il mérite pourtant d'être connu. N'hésitez pas à le faire, dès le printemps quand les légumes sont très tendres.

Soupe de courge

Préparation : 20 minutes
Cuisson : 30 minutes

Ingrédients pour 6 personnes :
3/4 l d'eau,
3/4 l de bouillon de volaille,
1,5 kg de courge jaune,
1 pincée de sucre,
2 gousses d'ail,
1 feuille de laurier,
4 ou 5 cuillerées à soupe de crème fraîche,
80 g de beurre,
sel,
poivre du moulin.

Pelez et coupez la courge en gros dés (3 cm d'arête environ). Plongez la courge dans le mélange d'eau bouillante et de bouillon de volaille. Salez, poivrez, ajoutez le laurier, les gousses d'ail épluchées mais entières et laissez cuire pendant 30 minutes à partir de l'ébullition.

Mixez le potage dans le robot avec une pincée de sucre, le beurre et la crème fraîche. Rectifiez l'assaisonnement, si la consistance est trop épaisse, on peut rajouter un peu de lait.

Ce potage se consomme chaud. Vous pouvez le saupoudrer de gruyère râpé.

On a parfois l'occasion de voir ce potage présenté dans une courge évidée qui sert de soupière. Il faut alors couper le couvercle de la courge, la creuser et se servir de la chair pour faire le potage.

Soupe de moules

Préparation : 30 minutes.
Cuisson : 35 minutes.

Ingrédients pour 6 personnes :
1,5 l à 2 l d'eau,
3 l de moules,
1 bouquet garni,
2 gousses d'ail,
1 poireau,
1 gros oignon,
quelques côtes de céleri vert,
3 tomates,
4 ou 5 filaments de safran,
huile d'olive,
2 dl de vin blanc sec,
sel,
poivre du moulin.

Grattez, lavez les moules et faites-les ouvrir pendant 8 mn environ sur feu vif, dans une marmite avec le vin blanc et le bouquet garni. Couvrez la casserole et remuez de temps en temps.

Retirez les moules de la casserole à l'aide d'une écumoire, laissez-les refroidir puis, enlevez leur coquille. Récupérez le jus de cuisson et passez-le au chinois en prenant soin de mettre un morceau de gaze au fond de la passoire afin de filtrer le sable qui peut rester dans les coquilles des moules.

Pendant ce temps, mettez 3 ou 4 cuillerées à soupe d'huile à chauffer dans un faitout, ajoutez les légumes émincés, l'ail écrasé et faites-les colorer sur feu doux. Mouillez avec 1,5 l d'eau chaude, laissez cuire pendant 15 minutes. Passez le bouillon dans le mixer puis versez-le dans la casserole en y ajoutant maintenant les moules et leur jus de cuisson. Salez très légèrement car celui-ci contient déjà du sel, poivrez, ajoutez une pincée de safran et faites cuire pendant 8 à 10 minutes.

Rectifiez l'assaisonnement et servez ce potage chaud ou glacé suivant les saisons.

Ce potage est savoureux. Soyez très vigilant lorsque vous filtrez le jus de cuisson des moules afin de ne pas laisser passer de grains de sable. Ce serait vraiment désagréable de les sentir craquer sous la dent lorsqu'on consomme la soupe.

Soupe de poissons

Préparation : 25 minutes.
Cuisson : 30 mn environ.

Ingrédients pour 6 personnes :
2 litres d'eau,
2,5 à 3 kg de poissons,
(rascasse, vive, poissons de
roche, grondin, crustacés),
1 poireau,
1 carotte,
1 branche de céleri vert,
2 oignons de taille moyenne,
2 tomates,
5 gousses d'ail,
1 brin de fenouil,
1 feuille de laurier,
1 pincée de fleurs de thym,
1 petit morceau d'écorce
d'orange *(5 à 6 cm environ),*
4 ou 5 filaments de safran,
huile d'olive,
2 poignées de gros
vermicelle *(facultatif),*
sel,
poivre du moulin.

Émincez les légumes, faites-les revenir dans un faitout avec 6 ou 7 cuillerées à soupe d'huile d'olive, ajoutez l'ail écrasé, le fenouil, le laurier et l'écorce d'orange. Lorsque les légumes commencent à blondir, versez 2 l d'eau environ, salez, poivrez. Laissez cuire pendant 3 ou 4 minutes.

Plongez alors les poissons vidés et tronçonnés dans la casserole et laissez-les cuire pendant 10 minutes à partir de l'ébullition. Retirez-les à l'aide d'une écumoire, passez-les dans un presse-purée afin d'en exprimer tout le suc que vous verserez dans le bouillon. Ajoutez le safran, laissez mijoter pendant 10 minutes et jetez facultativement deux poignées de gros vermicelle que vous faites cuire alors pendant 8 minutes. Rectifiez l'assaisonnement.

Ce potage se consomme chaud. Vous pouvez proposer de l'aïoli, de la rouille et des croûtons aillés en accompagnement, comme pour la bouillabaisse.

Légumes

Artichauts à la barigoule

Préparation : 20 minutes
Cuisson : 60 minutes

Ingrédients pour 6 personnes :
18 petits artichauts frais,
150 g de petit salé coupé en
lanières,
2 carottes,
2 oignons,
2 cœurs de salade laitue,
1 poignée d'oseille,
2 poignées d'épinards,
3 gousses d'ail pilées,
1,5 dl de vin blanc sec,
1/4 l de bouillon,
huile d'olive,
sel,
poivre du moulin.

Lavez les artichauts et enlevez quelques feuilles extérieures.

Faites revenir le petit salé, les oignons, la salade, l'oseille, les épinards et les carottes émincés dans 6 cuillerées à soupe d'huile d'olive dans une grande casserole pendant 3 à 4 minutes sur feu doux. Ajoutez les artichauts, un filet d'huile, l'ail, le sel, le poivre et laissez cuire à feu doux pendant 10 minutes en remuant de temps en temps.

Versez maintenant le vin blanc et le bouillon, faites réduire de moitié sur feu vif puis laissez mijoter pendant 45 minutes environ. Vérifiez l'assaisonnement et servez chaud.

Aubergines rôties

Préparation : 25 minutes
Cuisson : 20 mn environ

Ingrédients pour 6 personnes :
1 kg d'aubergines,
1 bol de coulis de tomates
(consultez la recette dans la
rubrique « Sauces »),
5 ou 6 pincées de persil
haché,
gros sel,
huile d'olive,
sel,
poivre du moulin.

Épluchez les aubergines, coupez-les en deux dans le sens de la longueur, faites des croisillons à l'aide de la pointe d'un couteau dans la chair de l'aubergine (afin qu'elles cuisent mieux), saupoudrez-les de gros sel et faites-les dégorger dans une passoire pendant 15 minutes (cela enlèvera l'amertume éventuelle des aubergines et elles absorberont moins d'huile à la cuisson).

Pendant ce temps, faites chauffer un demi-litre d'huile au fond de la poêle et faites frire les aubergines des deux côtés jusqu'à ce qu'elles soient craquantes et dorées. Retirez-les de la poêle, égouttez-les dans une passoire. Vous pouvez même éponger le surplus de matière grasse avec du papier absorbant. Disposez-les sur un plat. Étalez une couche de coulis de tomates sur chaque aubergine. Saupoudrez-les de persil frais.

Ce plat peut se consommer chaud ou froid suivant les saisons. Il peut être servi en hors-d'œuvre, en accompagnement d'un gigot d'agneau ou d'une côte de bœuf.

Aubergines à la bohémienne

Préparation : 30 minutes
Cuisson : 35 minutes

Ingrédients pour 6 personnes :
6 aubergines,
6 tomates mûres pelées
et épépinées,
1 gousse d'ail écrasée,
1 oignon,
thym,
1 feuille de laurier,
4 brins de persil,
huile d'olive,
gruyère râpé,
sel,
poivre du moulin.

Épluchez les aubergines, coupez-les en rondelles de 1,5 cm d'épaisseur.

Faites chauffer un demi-litre d'huile d'olive dans la poêle et plongez les aubergines dans la friture dès qu'elle est chaude. Lorsqu'elles sont dorées, égouttez-les. Salez, poivrez. Réservez.

Faites revenir, pendant ce temps, l'oignon émincé dans 3 cuillerées à soupe d'huile d'olive pendant 3 minutes, ajoutez les tomates, l'ail, le persil, une pincée de thym, sel et poivre. Faites réduire le coulis pendant 10 minutes environ sur feu assez vif, puis mélangez les aubergines avec les tomates et laissez cuire l'ensemble pendant 10 minutes encore. Rectifiez l'assaisonnement.

Beurrez un plat à gratin, disposez les aubergines, ajoutez du gruyère râpé. Mettez quelques noisettes de beurre sur le dessus du plat et faites-le gratiner pendant 10 à 15 minutes.

Aubergines farcies

Préparation : 45 minutes
Cuisson : 25 minutes

Ingrédients pour 6 personnes :
6 petites aubergines,
250 g de chair à saucisse de
bonne qualité ou 250 g de
restes de viande *(talon de*
jambon, bœuf ou veau bouilli
ou rôti),
1 gros oignon,
2 tomates pelées et épépinées,
1 gousse d'ail écrasée,
1 tranche de pain de mie ou
2 biscottes,
5 brins de persil,
1 pincée d'herbes de
Provence,
2 jaunes d'œuf,
huile d'olive,
sel,
poivre du moulin.

Coupez les aubergines en deux dans le sens de la longueur en conservant la peau. Creusez à l'aide d'une
cuillère la chair de l'aubergine. Mettez-la de côté. Faites
cuire maintenant la peau des aubergines pendant 8 minutes
dans le four à micro-ondes ou 20 minutes dans le four tra-
ditionnel. Disposez-les dans un plat allant au four et préparez la farce de la façon suivante.

Faites revenir l'oignon haché, la chair crue de l'aubergine et les tomates coupés en morceaux dans une poêle
avec 3 ou 4 cuillerées à soupe d'huile pendant 5 minutes,
ajoutez la viande ou la chair à saucisse, l'ail, le persil, le
pain de mie trempé dans le lait, sel, poivre et les herbes de
Provence. Remuez bien le tout et laissez cuire pendant
10 minutes environ. Ajoutez enfin 2 jaunes d'œuf en prenant soin de bien les mélanger avec l'ensemble des autres
ingrédients. Rectifiez l'assaisonnement.

Remplissez les aubergines avec cette farce, arrosez-les
d'un filet d'huile et faites-les gratiner à four moyen pendant 25 minutes Ce plat peut se manger chaud ou froid suivant les saisons.

Vous allez découvrir dans la rubrique « Légumes »
cinq recettes de légumes différents mais farcis de la même
façon. Vous pouvez préparer en une seule fois un grand
plat de légumes farcis et variés que vous pouvez accommoder avec du riz. C'est coloré et très apprécié.

Beignets de fleurs de courgettes

**Préparation : 15 minutes
Cuisson : 6 minutes par poêlée**

Ingrédients pour 6 personnes :
18 fleurs de courgettes,
1 cuillerée à soupe de
persil haché,
1 cuillerée à soupe de ciboulette hachée,
sel,
poivre du moulin,
huile de friture.

Pour la pâte à frire :
250 g de farine,
2 œufs,
2 cuillerées à café d'huile
d'olive,
2 à 2,5 dl d'eau,
1 pincée de sel.

Lavez les fleurs, égouttez-les et séchez-les bien avec du papier absorbant.

Pendant ce temps, préparez la pâte à frire en versant 250 g de farine dans un saladier, ajoutez une pincée de sel, 2 jaunes d'œuf et 2 cuillerées à café d'huile d'olive. Mélangez le tout, versez l'eau progressivement afin d'obtenir une pâte lisse. Ajoutez 2 blancs d'œuf montés en neige juste avant de cuire les beignets.

Trempez chaque fleur de courgette dans la pâte et faites-les frire dans l'huile chaude pendant 4 à 5 minutes jusqu'à ce que les beignets soient dorés.

Dressez les beignets sur un plat et saupoudrez-les de fines herbes hachées.

Servir chaud. Cette spécialité est niçoise, elle constitue une entrée au goût subtil. Attention, prenez soin de commander, dès le printemps, les fleurs de courgettes chez le primeur car c'est une denrée rare.

Cardons de Noël

Préparation : 20 minutes
Cuisson : 60 mn environ

Ingrédients pour 6 personnes :
1 kg de cardons tendres et
bien blancs,
3 gousses d'ail hachées,
3 ou 4 pincées de persil
haché,
1 citron,
huile d'olive,
beurre,
sel,
poivre du moulin.

Épluchez soigneusement les cardons en prenant soin d'enlever les fils, coupez-les en morceaux de 4 cm environ de longueur.

Faites chauffer 2 l d'eau salée, jetez les cardons dans l'eau bouillante légèrement citronnée, laissez-les cuire pendant 3/4 d'heure. Égouttez-les.

Faites fondre 2 cuillerées à soupe de beurre et d'huile d'olive dans une casserole pour y faire revenir les cardons pendant 10 minutes. Salez, poivrez, ajoutez l'ail et le persil ainsi qu'un demi jus de citron. Servez chaud.

Ce légume se mange particulièrement en Provence au moment des fêtes de Noël. Il accompagne de façon traditionnelle les viandes, les volailles et les poissons.

Croquettes de pommes de terre à l'ail

Préparation : 30 minutes
Cuisson : 35 minutes

Ingrédients pour 6 personnes :
1 kg de pommes de terre à chair farineuse,
8 cuillerées à soupe de farine,
4 œufs entiers,
3 jaunes d'œuf,
3 gousses d'ail pilées,
3 ou 4 pincées de persil haché,
1 pincée de noix muscade moulue,
huile de tournesol ou d'arachide,
chapelure,
sel,
poivre du moulin.

Épluchez les pommes de terre, mettez-les dans une casserole d'eau froide salée et faites-les cuire pendant 20 minutes à partir de l'ébullition.

Égouttez-les, passez-les dans le moulin à légumes, puis desséchez la purée dans une casserole, sur feu doux, salez, poivrez, ajoutez la noix muscade, l'ail et le persil haché. Enlevez la casserole du feu et ajoutez 3 jaunes d'œuf plus 2 œufs entiers. Mélangez le tout et laissez refroidir pendant quelques minutes.

Versez quelques cuillerées de farine sur un plan de travail et confectionnez des croquettes en forme de bâtonnets avec la préparation précédente.

Trempez les croquettes dans les œufs battus en omelette, puis après les avoir roulées dans la chapelure, faites-les frire dans l'huile chaude mais non brûlante jusqu'à ce qu'elles dorent.

Égouttez-les sur un papier absorbant et servez chaud. Elles accompagnent bien les viandes et volailles rôties.

Flan à la tomate

Préparation : 30 minutes
Cuisson : 30 minutes

Ingrédients pour 6 personnes :
1,5 kg de tomates mûres,
6 œufs,
120 g de crème fraîche
épaisse,
120 g de gruyère râpé,
30 g de beurre mou,
sel,
poivre du moulin.

Après avoir épluché et épépiné les tomates, hachez-les grossièrement et faites-les dégorger pendant 15 minutes dans une passoire en les saupoudrant de quelques grains de gros sel. Réservez.

Battez les œufs en omelette avec la crème, le beurre ramolli et le gruyère râpé, puis ajoutez la chair de tomate très bien égouttée. Mélangez le tout délicatement à l'aide d'un fouet. Salez, poivrez fortement.

Beurrez 6 ramequins individuels, et versez l'appareil à l'intérieur. Faites-les cuire au bain-marie à four chaud pendant 30 minutes environ.

Vous devez servir les flans chauds et pouvez les napper avec une ou 2 cuillerées de sauce froide aux tomates crues que vous pouvez consulter dans la rubrique « Sauces ».

Flan d'épinards

Préparation : 10 minutes
Cuisson : 30 minutes

Ingrédients pour 6 personnes :
300 g d'épinards en branches cuits et égouttés,
150 g de crème fraîche,
5 œufs,
30 g de gruyère râpé environ,
1 pincée de noix muscade moulue,
sel,
poivre du moulin.

Mélangez dans un saladier les épinards cuits et égouttés avec les œufs battus en omelette, la crème fraîche, le gruyère râpé, la noix muscade, salez, poivrez.

Versez la préparation dans un moule à cake beurré et faites-la cuire pendant 30 minutes environ à four chaud (thermostat 7 ou 8). Vous pouvez vérifier la cuisson en enfonçant une lame de couteau dans le flan, elle doit ressortir propre, si la cuisson est terminée. Démoulez le flan et coupez-le en tranches.

Ce flan d'épinards peut être servi chaud, en guise d'entrée, nappé d'un coulis de tomates ou d'une crème de poivrons rouges (consultez les recettes dans les rubriques « Sauces » du livre) et froid avec de la mayonnaise.

Vous pouvez également le proposer, en accompagnement d'une viande ou d'un poisson grillé.

Gâteau de courgettes

Préparation : 30 minutes
Cuisson : 30 minutes

Ingrédients pour 6 personnes :
1 kg de courgettes,
6 tomates pelées et épépinées,
2 oignons de taille moyenne,
1 gousse d'ail pilée,
4 œufs,
80 g de gruyère râpé,
3 cuillerées à soupe de
crème fraîche,
1 pincée de basilic,
1 pincée d'estragon,
1 pincée de menthe,
1 pincée de thym,
1 pincée d'origan,
1 cuillerée à café de sucre,
huile d'olive,
beurre,
sel,
poivre du moulin.

Épluchez les courgettes, coupez-les en dés. Faites-les revenir avec un oignon émincé dans 3 cuillerées à soupe d'huile et une cuillerée de beurre, sel, poivre pendant 20 minutes environ sur feu assez vif. Remuez-les régulièrement et ajoutez 0,5 dl d'eau en cours de cuisson si nécessaire. Réduisez l'intensité du feu pour terminer la cuisson et laissez évaporer toute l'eau. Faites-les égoutter dans une passoire pendant 10 à 15 minutes. Réservez.

Fouettez les œufs et le gruyère dans un bol avec le sel, le poivre et la crème fraîche. Mélangez-y les courgettes égouttées.

Beurrez un moule à cake. Versez la préparation dedans et enfournez-la à four chaud pendant 30 minutes environ. Afin de vérifier la cuisson, plantez la lame d'un couteau dans le gâteau, elle doit ressortir propre si la cuisson est terminée.

Pendant la cuisson du gâteau, faites revenir l'autre oignon dans la poêle avec 2 cuillerées à soupe d'huile, ajoutez les tomates, l'ail, les fines herbes, le sucre, sel et poivre. Laissez réduire le coulis pendant 10 minutes environ. Passez-le dans le mixer. Réservez.

Ce gâteau de courgettes se sert froid, coupé en tranches et nappé de coulis de tomates. Il constitue une entrée très appréciée. Il peut également se servir chaud, sans le coulis, en accompagnement d'une viande rôtie.

TABLE DE NUIT

6. courgettes

une courgette

Gâteau d'asperges

Préparation : 15 minutes
Cuisson : 1 h 05 mn

Ingrédients pour 6 personnes :
600 g d'asperges blanches
fraîches ou à défaut 350 g
ou 400 g d'asperges en
conserve égouttées,
6 œufs,
200 à 250 ml de crème
fraîche,
80 g environ de gruyère
râpé,
sel,
poivre du moulin.

Pelez les asperges avec un épluche légumes, faites-les cuire dans 1,5 l d'eau bouillante salée pendant 30 minutes. Égouttez-les. Réservez.

Mixez les asperges dans le robot avec 3 œufs entiers, 3 jaunes d'œuf, la crème fraîche, le gruyère, sel et poivre jusqu'à obtention d'une purée bien lisse.

Beurrez 6 ramequins individuels, versez la préparation liquide à l'intérieur. Faites cuire les gâteaux au bain-marie, (disposez les ramequins dans un plat à gratin allant au four dans lequel vous versez 1/2 l d'eau de façon à ce qu'ils trempent à mi-hauteur) pendant 35 minutes à four chaud.

Afin de vérifier la cuisson, vous pouvez planter la lame d'un couteau dans un gâteau, elle doit ressortir propre si la cuisson est terminée.

Laissez tiédir les ramequins et démoulez-les en passant la lame d'un couteau rond autour du moule. Renversez-les dans les assiettes. Servir chaud.

Ce gâteau d'asperges peut être servi en accompagnement d'une viande blanche ou d'une volaille rôtie. Il peut aussi être servi en entrée, nappé alors d'un coulis de tomates, ou d'une crème de poivrons rouges (consulter les recettes dans les rubriques « Sauces » et « Légumes » du livre).

Gratin d'aubergines

Préparation : 45 minutes
Cuisson : 15 minutes

Ingrédients pour 6 personnes :
1 kg d'aubergines,
50 g de beurre,
4 cuillerées à soupe
de farine,
1/2 l de lait,
100 g de gruyère râpé environ,
huile d'arachide,
1 pincée de noix muscade
moulue,
sel fin et gros sel,
poivre du moulin.

Épluchez les aubergines, coupez-les en deux dans le sens de la longueur, faites des croisillons à l'aide de la pointe du couteau dans la chair de l'aubergine (afin qu'elles cuisent mieux), saupoudrez-les de gros sel et faites-les dégorger dans une passoire pendant 15 minutes (cela enlèvera l'éventuelle amertume du légume).

Faites chauffer l'huile dans la friteuse et faites frire les aubergines des deux côtés jusqu'à ce qu'elles soient dorées. Retirez-les, égouttez-les dans une passoire. Vous pouvez éponger le surplus de matière grasse avec du papier absorbant. Réservez.

Faites fondre maintenant le beurre dans une casserole, ajoutez la farine et mélangez bien les deux ingrédients afin qu'il n'y ait pas de grumeaux. Versez le lait petit à petit, sans cesser de remuer jusqu'à épaississement de la sauce. Salez, poivrez, mettez une pincée de noix muscade.

Beurrez un plat à gratin, disposez les aubergines à l'intérieur, versez la sauce béchamel dessus. Saupoudrez de gruyère et faites gratiner à four chaud pendant 15 minutes environ.

Le gratin d'aubergines accompagne très bien un gigot rôti.

Gratin de courgettes

Préparation : 25 minutes
Cuisson : 45 minutes

Ingrédients pour 6 personnes :
1, 2 kg de courgettes,
40 g de beurre,
4 cuillerées à soupe
de farine,
1/2 l de lait,
100 g de gruyère râpé
environ,
huile d'olive,
noix muscade,
sel,
poivre du moulin.

Épluchez les courgettes, coupez-les en rondelles de 1/2 cm d'épaisseur et faites-les revenir dans une poêle avec 5 ou 6 cuillerées à soupe d'huile d'olive jusqu'à ce qu'elles soient dorées (environ 25 minutes). Salez, poivrez. Égouttez-les dans une passoire pour enlever l'excédent d'huile. Réservez.

Faites fondre maintenant le beurre dans une casserole, ajoutez la farine et mélangez bien les deux ingrédients afin qu'il n'y ait pas de grumeaux. Versez le lait petit à petit, sans cesser de remuer jusqu'à épaississement de la sauce. Salez, poivrez, mettez une pincée de noix muscade moulue.

Beurrez un plat à gratin, disposez les courgettes à l'intérieur, versez la sauce béchamel dessus.

Saupoudrez de gruyère et faites gratiner à four chaud pendant 10 à 15 minutes environ.

Le gratin de courgettes se sert chaud et peut accompagner un gigot rôti, un filet de bœuf ou un poisson braisé.

Gratin d'épinards à l'ail et au persil

Préparation : 40 minutes
Cuisson : 10 minutes

Ingrédients pour 6 personnes :
1,5 kg d'épinards frais,
4 gousses d'ail pilées,
5 pincées de persil haché,
3 cuillerées à soupe
de farine,
beurre,
1/2 l de lait,
noix muscade,
huile d'olive,
sel,
poivre du moulin.

Lavez les épinards, plongez-les dans l'eau bouillante salée et faites-les cuire pendant 15 minutes. Égouttez-les en les pressant bien afin d'en exprimer toute l'eau. Hachez-les grossièrement.

Faites revenir les épinards pendant 10 minutes dans 2 cuillerées à soupe d'huile et de beurre au fond d'une casserole, ajoutez l'ail, le persil, le poivre et une pincée de noix muscade moulue. Vérifiez l'assaisonnement.

Pendant ce temps, faites fondre 50 g de beurre dans une casserole, ajoutez la farine et mélangez bien les deux ingrédients afin qu'il n'y ait pas de grumeaux, versez petit à petit le lait jusqu'à épaississement de la sauce. Salez, poivrez. Mélangez les épinards avec la béchamel.

Beurrez un plat allant au four, versez la préparation et saupoudrez de gruyère. Faites gratiner pendant 10 minutes à four chaud.

Mousse d'aubergines

Préparation : 15 minutes
Cuisson : 25 minutes

Ingrédients pour 6 personnes :
1 kg d'aubergines,
2 gousses d'ail,
1/2 citron,
5 feuilles de menthe
ciselées,
10 brins de ciboulette
hachés,
2 branches d'aneth hachées,
huile d'olive,
sel,
poivre du moulin.

Épluchez les aubergines, coupez-les en dés et faites-les revenir dans une casserole avec de l'huile d'olive pendant 25 minutes environ. Salez, poivrez. Remuez-les régulièrement. Égouttez-les dans une passoire.

Mixez les aubergines dans le robot avec 2 cuillerées à soupe de jus de citron, l'ail et les fines herbes jusqu'à obtention d'une mousse. Rectifiez l'assaisonnement.

Ce plat peut se consommer chaud ou froid suivant les saisons. Il peut être servi en hors d'œuvre ou en accompagnement d'un poisson ou d'une viande.

Oignons farcis

Préparation : 35 minutes
Cuisson : 25 minutes

Ingrédients pour 6 personnes :
8 gros oignons blancs,
250 g de chair à saucisse de
bonne qualité ou 250 g de
restes de viande *(talon de
jambon, bœuf ou veau bouilli
ou rôti)*,
2 tomates pelées et
épépinées,
1 gousse d'ail écrasée,
1 tranche de pain de mie ou
2 biscottes trempées dans
1 dl de lait chaud,
5 brins de persil,
1 pincée de thym et
de basilic,
2 jaunes d'œuf,
huile d'olive,
sel,
poivre du moulin.

Épluchez les oignons, creusez à l'aide d'une cuillère la chair intérieure et mettez-la de côté dans un bol. Faites blanchir les oignons évidés pendant 5 à 6 minutes dans l'eau bouillante ou faites-les cuire pendant 8 minutes dans le four à micro ondes. Disposez-les dans un plat à gratin et préparez la farce de la façon suivante.

Faites revenir la chair de l'oignon et les tomates coupées en morceaux dans une poêle avec 3 ou 4 cuillerées d'huile pendant 5 minutes, ajoutez la viande ou la chair à saucisse, l'ail, le persil, le pain de mie trempé dans le lait, sel, poivre et les herbes de Provence. Remuez bien le tout et laissez cuire pendant 10 minutes environ. Ajoutez enfin 2 jaunes d'œuf en prenant soin de bien les mélanger avec l'ensemble des autres ingrédients. Rectifiez l'assaisonnement.

Remplissez les oignons avec cette farce, arrosez-les d'un filet d'huile et faites-les gratiner à four moyen pendant 25 minutes. Ce plat peut se manger chaud ou froid suivant les saisons.

Vous allez découvrir dans la rubrique « Légumes » cinq recettes de légumes différents mais farcis de la même façon. Vous pouvez préparer en une seule fois un grand plat de légumes farcis et variés que vous pouvez accommoder avec du riz. C'est coloré et très apprécié.

Oignons glacés

Préparation : 15 minutes
Cuisson : 20 minutes

Ingrédients pour 6 personnes :
6 oignons,
1/4 l d'eau ou de bouillon de
légumes,
1 pincée de sucre,
beurre,
sel,
poivre du moulin.

Épluchez les oignons et émincez-les finement en lamelles.

Faites revenir les oignons dans 3 ou 4 cuillerées de beurre, sur feu doux, dans une poêle, jusqu'à ce qu'ils blondissent très légèrement pendant 7 ou 8 minutes. Ajoutez alors le bouillon de façon à ce que les oignons soient à peine immergés. Couvrez la poêle et laissez-les mijoter pendant 20 minutes environ. Ajoutez une pincée de sucre à la fin de la cuisson. Les oignons sont cuits, généralement, lorsque le bouillon a une consistance sirupeuse.

Les oignons glacés se consomment chauds ou froids. Ils accompagnent très bien une tourte de viande, une viande rôtie, un poisson braisé ou une terrine.

Pan bagnat

Frottez l'intérieur des tranches de pain avec la gousse d'ail, arrosez la tranche inférieure d'huile d'olive, disposez les rondelles de tomates, l'oignon, l'œuf, les anchois et les olives, les fines herbes. Salez, poivrez. Versez encore un filet d'huile. Mettez la deuxième tranche de pain sur la préparation de légumes de façon à former un sandwich.

Le pan bagnat se consomme très frais. C'est un excellent sandwich à emporter en pique-nique. N'oubliez pas les serviettes en papier, elles seront bien utiles lorsque vous le mangerez.

Poivrons confits à l'huile d'olive

Préparation : 15 minutes
Cuisson : 40 minutes

Ingrédients pour 6 personnes :
6 poivrons rouges de préférence,
3 gousses d'ail,
huile d'olive,
sel,
poivre du moulin.

Lavez les poivrons, enlevez la queue et les graines, coupez-les en deux dans le sens de la hauteur.

Faites griller les poivrons sur la plaque du four huilée pendant 40 minutes environ. Pelez les poivrons et coupez-les en lanières.

Entreposez-les dans un récipient creux avec l'ail écrasé, salez, poivrez, recouvrez-les d'huile d'olive (de façon à ce qu'ils soient immergés).

Cette préparation doit se faire quelques heures avant le repas car elle se consomme froide. Elle peut accompagner une omelette, des œufs frits ou des viandes froides et peut se proposer à l'apéritif. Je vous conseille, lorsque vous disposez de temps, d'en faire une bonne quantité car vous pouvez les conserver pendant quelques jours dans le réfrigérateur.

Poivrons farcis

Préparation : 35 minutes
Cuisson : 25 minutes

Ingrédients pour 6 personnes :
6 poivrons rouges ou verts
de taille moyenne,
250 g de chair à saucisse de
bonne qualité ou 250 g de
restes de viande *(talon de
jambon, bœuf ou veau bouilli
ou rôti)*,
2 tomates pelées et épépinées,
1 gros oignon,
1 tranche de pain de mie ou
2 biscottes trempées dans
1 dl de lait chaud,
1 gousse d'ail écrasée,
4 brins de persil,
1 pincée d'herbes de
Provence,
2 jaunes d'œuf,
huile d'olive,
sel,
poivre du moulin.

Lavez les poivrons, enlevez la partie supérieure et les graines. Faites-les blanchir dans 2 l d'eau bouillante salée pendant 8 à 10 minutes ou bien faites-les cuire pendant 8 minutes dans le four à micro-ondes. Disposez-les dans un plat à gratin beurré, prêts à être farcis. Préparez maintenant la farce de la façon suivante.

Faites revenir l'oignon émincé et les tomates coupées en morceaux dans une poêle avec 2 cuillerées d'huile pendant 3 ou 4 minutes, ajoutez la viande ou la chair à saucisse, l'ail, le persil, le pain de mie trempé dans le lait, sel, poivre et les herbes de Provence. Remuez bien le tout et laissez cuire pendant 10 minutes environ. Ajoutez enfin 2 jaunes d'œus en les mélangeant bien avec l'ensemble des autres ingrédients. Rectifiez l'assaisonnement.

Remplissez les poivrons avec cette farce, arrosez-les d'un filet d'huile et faites-les gratiner à four moyen pendant 25 minutes. Ce plat peut se manger chaud ou froid suivant les saisons.

Vous allez découvrir dans la rubrique « Légumes » cinq recettes de légumes différents mais farcis de la même façon. Vous pouvez préparer en une seule fois un grand plat de légumes variés que vous pouvez accommoder avec du riz. C'est coloré et très apprécié.

Purée de petits pois frais

Préparation : 5 minutes
Cuisson : 20 minutes

Ingrédients pour 6 personnes :
700 à 800 g de petits pois
frais égrenés (*ou à défaut de*
petits pois surgelés fins),
1 petit oignon,
120 à 150 g de crème
fraîche,
150 ml de lait,
sel,
poivre du moulin.

Plongez les petits pois et l'oignon dans une grande casserole d'eau bouillante salée, laissez-les cuire pendant 20 minutes à partir de l'ébullition pour les pois frais et 15 minutes pour les pois surgelés.

Égouttez les petits pois et l'oignon et mixez-les dans le robot avec la crème fraîche et le poivre de façon à obtenir une purée bien lisse. Si la consistance de la purée est trop épaisse, vous pouvez ajouter un verre de lait. Rectifiez l'assaisonnement.

Cette purée de petits pois frais est fine et goûteuse. Elle accompagne bien les poissons cuits à la vapeur ou au four, les volailles et les viandes à chair blanche.

Servir chaud.

Ratatouille

Préparation : 30 minutes
Cuisson : 1 heure

Ingrédients pour 6 personnes :
4 aubergines,
4 courgettes,
4 poivrons verts,
1 kg de tomates mûres,
2 gros oignons,
3 gousses d'ail pilées,
1 feuille de laurier,
3 ou 4 pincées de persil haché,
1 pincée de thym moulu,
quelques feuilles de basilic hachées,
2 brins d'estragon,
huile d'olive,
1 poignée d'olives vertes dénoyautées (*picholines de préférence*).

Lavez les légumes. Épluchez et épépinez les tomates, coupez-les en quartiers. Pelez les aubergines et les courgettes, coupez-les en dés. Enlevez les graines des poivrons et coupez-les en lanières. Émincez les oignons en lamelles. Réservez.

Faites chauffer 6 ou 7 cuillerées à soupe d'huile dans une poêle et faites revenir les courgettes, sur feu assez vif jusqu'à ce qu'elles soient colorées. Salez, poivrez. Retirez-les et égouttez-les.

Dans la même poêle, faites revenir de la même manière les aubergines jusqu'à ce qu'elles soient colorées elles aussi. Salez, poivrez. Retirez-les et égouttez-les. Procédez de façon identique pour les poivrons.

Faites enfin blondir les oignons dans une casserole avec 3 cuillerées à soupe d'huile, ajoutez les tomates, l'ail, le thym, le basilic, le laurier et l'estragon. Laissez cuire à découvert et réduire le coulis. Rassemblez enfin tous les légumes dans une grande casserole, ajoutez les olives, mélangez bien le tout et laissez cuire doucement pendant 15 minutes environ. Vérifiez l'assaisonnement, versez la ratatouille dans un plat et saupoudrez-la de persil frais.

Ce plat peut se consommer chaud ou froid suivant les saisons.

Salade de crudités à l'anchoïade

Préparation : 30 minutes

Ingrédients pour 6 personnes :
1 branche de céleri vert,
1/2 branche de carde blanche,
2 pommes de chou-fleur,
2 carottes,
2 artichauts nouveaux,
2 tomates,
1 endive,
1/2 poivron,
1 cœur de salade frisée,
quelques bouquets d'épinards jeunes et frais,
1 botte d'oignons nouveaux ou cébettes,
1,5 à 2 dl d'anchoïade.
Voir la recette dans la rubrique « Sauces ».

Lavez les légumes, épluchez-les, coupez-les en lanières, en rondelles ou en bâtonnets suivant leur forme.

Disposez tous les légumes crus dans un grand saladier, arrosez-les avec la sauce « anchoïade » appelée « pébrade » en provençal de façon à ce que les légumes en soient bien imprégnés. Mélangez bien le tout et servez très frais.

Vous pouvez envisager cette copieuse salade comme plat unique si vous proposez en même temps quelques œufs durs et des pommes de terre bouillies qui s'harmonisent également bien avec l'anchoïade.

Salade de courgettes grillées

Préparation : 15 minutes
Cuisson : 45 minutes

Ingrédients pour 6 personnes :
1, 5 kg de courgettes,
3 gousses d'ail,
4 pincées de persil haché,
huile d'olive,
sel,
poivre du moulin.

Épluchez les courgettes et coupez-les en tranches de 1,5 cm d'épaisseur. Disposez-les dans une plaque à four, salez, poivrez et arrosez-les d'huile d'olive. Faites-les cuire à four chaud pendant 45 minutes en prenant soin de les remuer régulièrement afin qu'elles dorent uniformément. Sortez-les du four et égouttez-les dans une passoire.

Disposez-les dans un plat profond et arrosez-les avec 3 ou 4 cuillerées d'huile d'olive crue auxquelles vous aurez mélangé le persil et l'ail écrasé. Rectifiez l'assaisonnement et mettez la salade dans le réfrigérateur.

Cette salade se consomme fraîche, elle peut accompagner une viande froide rôtie ou constituer une entrée rafraîchissante pendant la saison d'été. Vous pouvez la réaliser avec d'autres légumes comme les poivrons ou les aubergines.

Tomates à la provençale

Préparation : 15 minutes
Cuisson : 40 minutes

Ingrédients pour 6 personnes :
12 tomates mûres,
4 gousses d'ail,
1 bouquet de persil,
3 ou 4 pincées de thym,
1 cuillerée à soupe de sucre,
huile d'olive,
sel,
poivre du moulin.

Lavez les tomates, coupez-les en deux dans le sens de la largeur, enlevez les graines. Écrasez l'ail à l'aide d'un presse-ail et hachez le persil.

Beurrez la plaque du four et disposez les tomates côte à côte. Saupoudrez-les avec l'ail, le persil, le thym et le sucre, salez, poivrez. Arrosez-les avec un filet d'huile d'olive et enfournez-les à four chaud pendant 40 minutes environ jusqu'à ce qu'elles soient bien dorées.

Les tomates à la provençale peuvent se consommer chaudes ou froides. On peut les accompagner avec du riz.

Tomates en salade

Épluchez et épépinez les tomates, coupez-les en fines rondelles, mettez-les dans une passoire, saupoudrez-les de gros sel et laissez-les dégorger pendant 15 minutes.

Pendant ce temps, émincez les oignons en lamelles. Préparez la vinaigrette en mélangeant dans un bol le basilic, l'estragon et le vinaigre, 8 à 9 cuillerées d'huile d'olive, sel et poivre.
Après avoir égoutté les tomates, disposez-les dans un plat creux, répartissez les oignons dessus. Versez la vinaigrette sur les légumes, mélangez le tout et mettez la salade au frais.

Le fait d'éplucher les tomates donne à la salade un côté velouté. Vous pouvez mélanger quelques fines tranches de mozzarelle (fromage italien, à pâte molle, de lait de bufflonne) qui s'harmonise très bien avec la tomate crue.

Tomates farcies

Lavez les tomates, coupez-les en deux dans le sens de la largeur, enlevez les graines et récupérez délicatement la pulpe charnue qui est au cœur de la tomate à l'aide d'une cuillère. Réservez.

Saupoudrez les tomates de sel et laissez-les dégorger pendant 10 minutes en les renversant dans une passoire. Disposez-les ensuite dans un plat à gratin beurré, prêtes à être farcies. Pendant ce temps, préparez la farce de la façon suivante.

Faites revenir l'oignon haché et la pulpe de tomate dans une poêle avec 3 ou 4 cuillerées d'huile pendant 5 minutes sur feu moyen, ajoutez la viande ou la chair à saucisse, l'ail, le persil, le pain de mie trempé dans le lait, le sel, le poivre et les herbes de Provence. Remuez bien le tout et laissez cuire pendant 10 minutes environ. Ajoutez 2 jaunes d'œuf en prenant soin de bien mélanger l'ensemble des ingrédients. Rectifiez l'assaisonnement.

Remplissez les tomates avec cette farce, arrosez-les d'un filet d'huile et faites-les gratiner à four moyen pendant 25 minutes. Ce plat peut se manger chaud ou froid suivant les saisons.

Vous allez découvrir dans la rubrique « Légumes » cinq recettes de légumes différents mais farcis de la même façon. Vous pouvez préparer en une seule fois un grand plat de légumes farcis variés que vous pouvez accommoder avec du riz. C'est coloré et très apprécié.

Tourte à la ratatouille

Préparation : 1 heure
Cuisson : 35 minutes

Ingrédients pour 6 personnes :
2 courgettes,
3 poivrons rouges,
2 aubergines,
2 gousses d'ail pilées,
6 tomates mûres pelées et épépinées,
1 gros oignon,
3 pincées de basilic haché,
100 g de petits lardons,
sel,
poivre du moulin.

Pour la pâte brisée :
300 g de farine,
150 g de beurre,
2 œufs,
1 pincée de sel,
1 dl d'eau.

Lavez les légumes, épluchez les courgettes, les aubergines et coupez-les en dés de 1,5 cm d'arête environ. Après avoir égrené les poivrons, coupez-les en lanières. Faites revenir à la poêle dans quelques cuillerées d'huile d'olive d'abord les courgettes jusqu'à ce qu'elles soient dorées. Retirez-les de la poêle, égouttez-les. Réservez.

Mettez maintenant les aubergines à frire en rajoutant de l'huile d'olive pour la cuisson, retirez-les et égouttez-les. Réservez.

Faites revenir l'oignon émincé toujours dans la même poêle, ajoutez les lardons et lorsqu'ils ont blondi, mettez les tomates, l'ail, sel, poivre. Laissez réduire la préparation pendant 10 minutes sur feu assez vif. Retirez le coulis de la poêle et réservez.

Faites frire enfin les poivrons, salez, poivrez et égouttez-les après la cuisson.

Mélangez tous les légumes dans une grande casserole, vérifiez l'assaisonnement.

Beurrez la tourtière, étalez la pâte brisée et versez la préparation de légumes que vous allez recouvrir d'une abaisse de pâte. Dorez au jaune d'œuf et enfournez la tourte à four chaud pendant 35 minutes environ.

Servir chaud. Ce plat est d'origine niçoise.

Œufs, pâtes & fromages

Brouillade d'œufs à la truffe

Préparation : 10 minutes
Cuisson : 5 minutes

Ingrédients pour 6 personnes :
12 à 15 œufs,
1 truffe fraîche ou une petite
boîte de pelures de truffes
*(conservez alors le jus de
cuisson),*
1 cuillerée à café de madère,
beurre,
huile d'olive,
sel,
poivre du moulin.

Nettoyez la truffe avec une brosse humectée d'eau. Émincez-la en fines lamelles. Réservez.

Cassez les œufs dans une jatte, fouettez-les délicatement, ajoutez la truffe fraîche ou les pelures sans oublier, à ce moment-là, 2 cuillerées à café de jus de cuisson des truffes ainsi que le madère. Salez, poivrez.

Frottez le fond de la poêle avec une gousse d'ail puis faites chauffer une cuillerée à soupe de beurre et une cuillerée à soupe d'huile à l'intérieur et versez-y la préparation. Brouillez rapidement les œufs à l'aide de la fourchette pendant 4 ou 5 minutes environ sur feu moyen. La brouillade doit être onctueuse.

Servez immédiatement. Afin de rendre la brouillade plus moelleuse, faites-la cuire dans un bain-marie. Le temps de cuisson sera alors de 8 minutes environ.

Crespeou

Préparation : 60 minutes
Cuisson : 40 minutes

Ingrédients pour 6 personnes :
18 œufs,
1 poignée d'oseille revenue
dans le beurre avec sel et
poivre,
1 tasse de coulis de tomates
assaisonné,
1 poivron rouge coupé en
dés revenus à la poêle avec
sel et poivre,
1/2 tasse d'épinards cuits à
la crème avec une pincée de
câpres hachés, sel et poivre,
1/2 oignon émincé revenu
dans le beurre avec sel
et poivre,
1 poignée de champignons
de Paris revenus à la poêle et
assaisonnés,
30 g de gruyère râpé,
1 cuillerée à soupe de fines
herbes hachées *(basilic,
ciboulette et estragon).*

L e Crespéou se compose de 9 petites omelettes différentes empilées les unes sur les autres.

Vous ferez cuire, avec un minimum de matières grasses, dans une poêle antiadhésive chaque omelette de deux œufs assaisonnée selon une des 8 préparations indiquées dans la colonne ci-contre. La neuvième omelette sera nature.

Empilez au fur et à mesure de la cuisson les 9 omelettes de même diamètre les unes sur les autres.

Ce plat se sert chaud ou froid suivant les saisons, accompagné d'un coulis de tomates (consultez la recette dans la rubrique « Sauces »). Le découpage du gâteau permet d'avoir des parts bien colorées grâce aux différents éléments qui le composent.

Vous pouvez préparer ce plat la veille du jour où vous souhaitez le manger.

Macaronis aux anchois

Préparation : 10 minutes
Cuisson : 10 minutes
environ suivant la qualité
des pâtes

Ingrédients pour 6 personnes :
500 g de macaronis,
8 anchois dessalés,
6 cuillerées à soupe de coulis
de tomates (*voir la recette*
dans la rubrique « Sauces »),
3 cuillerées à soupe d'huile
d'olive,
50 g de beurre frais,
100 g de gruyère râpé ou de
parmesan,
sel,
poivre du moulin.

Faites fondre les anchois à feu doux dans une casse-role avec une ou deux cuillerées à soupe d'huile d'olive. Ajoutez la purée de tomates, mélangez-la bien avec les anchois et laissez cuire pendant 2 à 3 minutes. Rectifiez l'assaisonnement. Réservez.

Pendant ce temps, plongez les macaronis dans 2 l d'eau bouillante salée avec un filet d'huile d'olive. Dès la fin de la cuisson, égouttez-les, puis ajoutez 50 g de beurre que vous mélangez bien avec les pâtes.

Dressez les macaronis dans un plat creux et dis-posez la purée de tomates et d'anchois dessus. Servez le gruyère râpé ou le parmesan à part.

Nouilles à l'oseille

Préparation : 15 minutes
Cuisson : 3 à 6 mn suivant la
qualité des nouilles.

Ingrédients pour 6 personnes :
500 g de nouilles fraîches,
400 g d'oseille fraîche,
beurre,
1 bol de gruyère râpé ou de
parmesan,
1 pincée de noix muscade
moulue,
sel,
poivre du moulin.

Nettoyez l'oseille en enlevant les côtes, lavez-la abondamment et égouttez-la.

Faites-la revenir dans une casserole avec 2 cuillerées à soupe de beurre pendant 3 ou 4 minutes, salez, poivrez et ajoutez une pincée de muscade. Réservez.

Pendant ce temps, plongez les nouilles fraîches dans 2 l d'eau salée bouillante avec un filet d'huile d'olive. Égouttez-les dès la fin de la cuisson. Disposez les nouilles au fond d'un plat, ajoutez 50 g de beurre frais et la purée d'oseille. Mélangez bien le tout et servez immédiatement. Vous pouvez proposer du gruyère râpé ou du parmesan dans un petit bol à part.

Œufs au coulis de tomates

Préparation : 15 minutes
Cuisson : 20 minutes

Ingrédients pour 6 personnes :
12 œufs,
8 grosses tomates pelées et
épépinées,
1 oignon,
basilic,
estragon,
origan,
thym,
1 feuille de laurier,
huile d'olive,
1 pincée de sucre,
sel,
poivre du moulin.

Il faut faire durcir les œufs pendant 10 minutes et les écaler. Réservez.

Faites revenir pendant ce temps l'oignon émincé dans une poêle avec 2 ou 3 cuillerées à soupe d'huile d'olive, ajoutez les tomates puis une pincée de thym, de basilic, d'estragon, d'origan, de sucre, sel et poivre. Laissez réduire la préparation jusqu'à ce qu'elle épaississe un peu. Versez-la dans le robot et mixez-la.
Rectifiez l'assaisonnement et mélangez les œufs coupés en deux dans le sens de la longueur avec le coulis de tomates.

Ce plat peut se consommer chaud ou froid selon les saisons.

Œufs farcis à l'oseille

Préparation : 30 minutes
Cuisson : 20 minutes

Ingrédients pour 6 personnes :
9 œufs,
600 g d'oseille fraîche,
2 gousses d'ail pilées,
2 pincées de persil haché,
2 tranches de pain de mie,
1 tasse de chapelure,
1 dl de lait,
huile,
beurre,
sel,
poivre du moulin.

Il faut faire durcir les œufs pendant 10 minutes, les écaler et les couper en deux dans le sens de la longueur. Réservez.

Pendant ce temps, nettoyez l'oseille en retirant les côtes, lavez-la abondamment, égouttez-la. Faites-la revenir dans une poêle avec 2 cuillerées à soupe de beurre, l'ail, le persil, sel et poivre pendant 3 à 4 minutes. Réservez.

Faites tremper le pain de mie dans le lait chaud, lorsqu'il est ramolli, réduisez-le en pommade à l'aide d'une fourchette. Réservez.

Récupérez les jaunes d'œuf durcis, écrasez-les dans une jatte avec 4 ou 5 cuillerées à soupe d'huile d'olive. Ajoutez l'oseille, la mie de pain, mélangez bien l'ensemble, rectifiez l'assaisonnement. Cela constitue la farce avec laquelle vous allez remplir les blancs d'œuf durs que vous disposerez dans un plat allant au four.

Mettez quelques pincées de chapelure sur chaque œuf farci ainsi qu'une toute petite noix de beurre.

Versez 3 cuillerées d'eau, mettez quelques noix de beurre au fond du plat et faites gratiner les œufs à four moyen pendant 20 minutes.

Ce plat peut se consommer chaud ou froid selon les saisons. Vous allez trouver dans ce chapitre trois recettes successives mais différentes d'œufs farcis qu'on peut réaliser en même temps. Cela constitue alors un grand plat coloré et varié.

Œufs farcis à la provençale

Préparation : 40 minutes
Cuisson : 20 minutes

Ingrédients pour 6 personnes :
9 œufs,
7 ou 8 tomates mûres pelées
et épépinées,
1 oignon,
2 tranches de pain de mie,
200 g de chair à saucisse,
1 pincée de sucre,
2 cuillerées à soupe d'huile
d'olive,
20 g de beurre,
basilic,
estragon,
sel,
poivre du moulin.

Il faut faire durcir les œufs pendant 10 minutes, les écaler et les couper en deux dans le sens de la longueur. Réservez.

Pendant ce temps, faites revenir l'oignon émincé et les tomates dans un mélange d'huile et de beurre au fond d'une poêle. Laissez réduire la purée de tomates pendant 10 minutes environ. Réservez.

Faites tremper le pain de mie dans le lait chaud. Lorsqu'il est ramolli, réduisez-le en pommade à l'aide d'une fourchette. Réservez aussi.

Récupérez les jaunes d'œuf durcis, écrasez-les dans une petite jatte à l'aide d'une fourchette et ajoutez 6 ou 7 cuillerées à soupe d'huile. Réservez.

Cuisez la chair à saucisse dans une poêle antiadhésive pendant 5 à 6 minutes, ajoutez-y le coulis de tomates, la mie de pain, les jaunes d'œuf, mélangez bien l'ensemble des ingrédients, rectifiez l'assaisonnement. Cela constitue la farce avec laquelle vous allez remplir les blancs d'œuf durs que vous disposerez dans un plat allant au four.

Versez 3 cuillerées d'eau et 4 ou 5 noix de beurre au fond du plat et faites gratiner les œufs à four moyen pendant 20 minutes. Les œufs farcis se consomment tièdes ou chauds.

Vous allez trouver dans ce chapitre trois recettes successives mais différentes d'œufs farcis qu'on peut réaliser en même temps. Cela constitue alors un grand plat coloré et varié.

Œufs farcis aux épinards

Préparation : 45 minutes
Cuisson : 20 minutes

Ingrédients pour 6 personnes :
9 œufs,
1 oignon,
2 tomates,
500 g d'épinards,
1 cuillerée à café de câpres,
2 pincées de persil haché,
1 pincée de noix muscade moulue,
beurre,
huile d'olive,
sel,
poivre du moulin.

Il faut faire durcir les œufs pendant 10 minutes, les écaler et les couper en deux dans le sens de la longueur. Réservez.

Pendant le temps de cuisson des œufs, faites revenir l'oignon émincé dans une cuillerée à soupe d'huile et une cuillerée à café de beurre pendant 3 à 4 minutes au fond d'une poêle, ajoutez les tomates et laissez réduire pendant 1/4 d'heure. Réservez.

Après avoir trié et lavé les épinards, faites-les blanchir dans une casserole d'eau bouillante salée pendant 10 minutes. Égouttez-les soigneusement. Puis faites-les étuver dans la poêle avec une cuillerée à soupe de beurre, ajoutez-y le persil, les câpres hachées et une pointe de muscade. Réservez.

Récupérez les jaunes d'œuf durcis, écrasez-les à l'aide d'une fourchette dans une jatte avec quelques cuillerées à soupe d'huile jusqu'à obtention d'une pommade. Ajoutez-y la purée de tomates, la préparation d'épinards, mélangez bien l'ensemble des ingrédients, rectifiez l'assaisonnement. Cela constitue la farce avec laquelle vous allez remplir les blancs d'œuf durs que vous disposerez dans un plat allant au four.

Versez trois cuillerées d'eau, mettez quelques noix de beurre au fond du plat et faites gratiner les œufs à four moyen pendant 20 minutes. Ils se consomment chauds ou tièdes.

Vous allez trouver dans ce chapitre trois recettes successives mais différentes d'œufs farcis qu'on peut réaliser en même temps. Cela constitue alors un grand plat coloré et varié.

Œufs gratinés à la provençale

Préparation : 15 minutes
Cuisson : 10 minutes

Ingrédients pour 6 personnes :
9 œufs,
1 gousse d'ail,
1 oignon,
50 g de beurre,
2 cuillerées à soupe
de farine,
1/4 l de lait,
2 cuillerées à café
de crème fraîche,
1 pincée de noix muscade
moulue,
1 tasse de parmesan ou de
gruyère râpé,
sel,
poivre du moulin.

Il faut faire durcir les œufs pendant 10 minutes, les écaler et les couper en deux dans le sens de la longueur. Réservez.

Faites revenir dans 50 g de beurre, au fond d'une casserole, la gousse d'ail écrasée et l'oignon émincé jusqu'à ce qu'ils soient colorés. Ajoutez la farine, mélangez bien le tout et versez progressivement, sans cesser de tourner, 1/4 l de lait jusqu'à épaississement de la sauce. Salez, poivrez, ajoutez la noix muscade et la crème fraîche.

Beurrez un plat à gratin, disposez les œufs durs à l'intérieur en les recouvrant de sauce. Saupoudrez de fromage râpé et mettez quelques noix de beurre dessus avant de faire gratiner la préparation à four moyen pendant 10 minutes.

Œufs pochés à la crème de champignons

Préparation : 25 minutes
Cuisson : 3 minutes

Ingrédients pour 6 personnes :
12 œufs,
4 ou 5 cuillerées à soupe de vinaigre de vin,
1/2 l d'eau,
5 ou 6 brins de persil,
sel,
poivre du moulin,
1 bol de crème de champignons.
Consultez la recette dans la rubrique « Sauces ».

Préparez la crème de champignons en consultant la recette dans la rubrique « Sauces » et maintenez-la au chaud.

Versez l'eau et le vinaigre dans une casserole plate à bords bas, portez à ébullition. Faites glisser les œufs délicatement dans l'eau et faites-les pocher pendant 3 minutes. Retirez-les et égouttez-les.

Disposez les œufs au fond d'une petite coupelle, salez et poivrez-les puis nappez-les avec une cuillerée à soupe de crème aux champignons. Saupoudrez de persil haché.

Servez immédiatement.

Omelette à l'ail et aux fines herbes

Préparation : 5 minutes
Cuisson : 5 minutes

Ingrédients pour 6 personnes :
12 œufs,
2 gousses d'ail épluchées,
5 brins de persil,
10 brins de ciboulette
fraîche,
2 cuillerées à soupe de
crème fraîche,
20 g de beurre,
2 cuillerées à soupe d'huile,
sel,
poivre du moulin.

Hachez finement l'ail, le persil et la ciboulette. Cassez et fouettez les œufs dans une jatte en y incorporant le hachis de fines herbes et d'ail, la crème fraîche, sel et poivre.

Faites chauffer beurre et huile dans la poêle, lorsque le mélange est chaud, versez délicatement les œufs fouettés, laissez cuire l'omelette pendant 4 à 5 minutes sur feu assez vif. Il ne faut pas qu'elle soit trop cuite afin de rester moelleuse.

Roulez l'omelette sur un plat chaud, servez aussitôt.

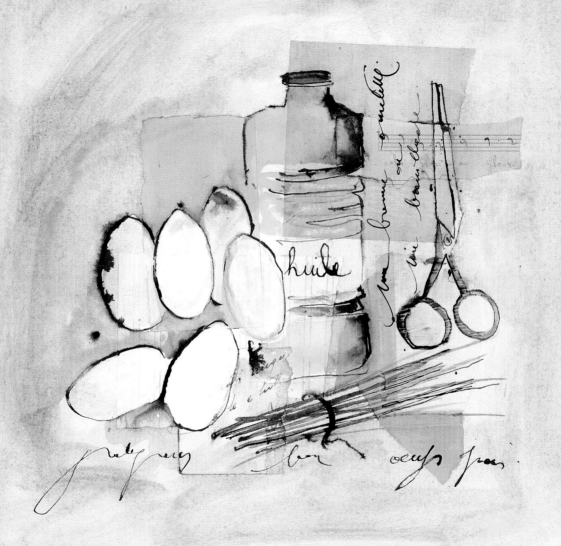

Omelette à la tomate

Préparation : 15 minutes
Cuisson : 5 minutes

Ingrédients pour 6 personnes :
12 œufs,
3 tomates pelées et
épépinées,
1 oignon,
1 cuillerée à soupe
de crème fraîche,
4 ou 5 feuilles de basilic,
huile d'olive,
sel,
poivre du moulin.

Faites revenir l'oignon émincé dans 2 cuillerées à soupe d'huile au fond d'une poêle pendant 3 ou 4 minutes, ajoutez les tomates coupées en morceaux, sel, poivre et basilic. Laissez réduire la préparation et réservez.

Cassez et fouettez les œufs dans une jatte en y incorporant la purée de tomates, la crème fraîche, rectifiez l'assaisonnement.

Faites chauffer 20 g de beurre et une cuillerée à soupe d'huile dans la poêle. Lorsque le mélange est chaud, versez délicatement l'omelette, laissez-la cuire pendant 4 à 5 minutes sur feu assez vif sans arrêter de remuer. Il ne faut pas qu'elle soit trop cuite afin de rester moelleuse. Roulez l'omelette sur un plat chaud. Servez aussitôt.

Omelette aux asperges

Préparation : 5 minutes
Cuisson : 5 minutes

Ingrédients pour 6 personnes :
12 œufs,
12 pointes d'asperges vertes
cuites,
20 g de gruyère râpé,
2 cuillerées à soupe de
crème fraîche,
beurre,
huile d'arachide,
sel,
poivre du moulin.

Faites revenir les pointes d'asperges, sur feu moyen, pendant 2 à 3 minutes au fond d'une poêle avec 30 g de beurre. Salez, poivrez. Réservez.

Cassez et fouettez les œufs dans une jatte, ajoutez la crème fraîche, le gruyère, sel et poivre.

Faites chauffer une cuillerée à soupe d'huile avec 20 g de beurre dans la poêle, lorsque le mélange est chaud, versez les œufs fouettés, ajoutez les pointes d'asperges à mi-cuisson de façon à ne pas trop les briser. Cuire l'omelette pendant 4 à 5 minutes sur feu assez vif. Elle doit être onctueuse.

Roulez l'omelette sur un plat chaud, servez aussitôt.

Pâtes au basilic

Préparation : 5 minutes
Cuisson : 4 ou 5 minutes

Ingrédients pour 6 personnes :
500 g de pâtes fraîches,
2 gousses d'ail,
4 ou 5 branches de basilic
frais,
huile d'olive,
parmesan râpé,
sel,
poivre du moulin.

Mettez l'ail épluché, les feuilles de basilic avec 6 ou 7 cuillerées à soupe d'huile d'olive dans le mixer, salez, poivrez. Broyez le tout, réservez.

Versez les pâtes fraîches dans une grande casserole d'eau bouillante salée avec un filet d'huile d'olive. Laissez-les cuire pendant 4 ou 5 minutes (suivant la variété des pâtes) à partir de l'ébullition. Égouttez-les et versez-les aussitôt dans un plat profond avec la préparation au basilic. Mélangez le tout, rectifiez l'assaisonnement. Servez le parmesan à part.

Vous pouvez, suivant les goûts de chacun, augmenter ou diminuer la quantité d'ail lorsque vous faites la préparation au basilic. N'oubliez pas que l'ail cru est beaucoup plus fort que cuit. L'ail blanc est plus doux que l'ail violet. A vous de juger.

Poissons
&
crustacés

Aiguillettes de dorade et de loup au basilic

Préparation : 10 minutes
Cuisson : 7 minutes

Ingrédients pour 6 personnes :
500 g de filet de loup,
500 g de filet de dorade,
1 citron,
15 feuilles de basilic frais,
1 échalote,
huile d'olive,
sel,
poivre du moulin.

Faites cuire les filets de poisson entiers soit dans le four à micro-ondes pendant 5 minutes soit au court bouillon pendant 6 à 7 minutes après ébullition. Bien égoutter le poisson.

Coupez la chair des poissons en forme d'aiguillettes et disposez les morceaux dans un plat profond.

Pressez un jus de citron, versez-le dans un bol avec une pincée de sel et de poivre, le basilic haché, l'échalote émincée et un dl d'huile d'olive environ. Mixez le tout et arrosez le poisson avec cette sauce. Remuez délicatement, rectifiez l'assaisonnement et servez frais.

Vous pouvez réaliser cette salade avec d'autres variétés de poissons (lotte, saumon, etc.). On peut ajouter quelques morceaux de saumon fumé coupés en lanières pour donner un autre parfum à la salade.

Brandade de morue

Préparation : 25 minutes
Cuisson : 15 mn environ

Ingrédients pour 6 personnes :
1 kg de morue dessalée (à
défaut, faites-la dessaler dans
2 l d'eau fraîche pendant
24 heures en changeant
l'eau 2 ou 3 fois),
3 dl d'huile d'olive,
1 dl de lait,
1 dl de crème fraîche
épaisse,
1 jus de citron,
1 pincée de noix muscade
moulue,
1 pincée de thym moulu,
1 feuille de laurier,
24 cubes de pain de mie,
poivre du moulin.

Plongez la morue dans une casserole avec 2 l d'eau froide, thym et laurier et faites-la cuire pendant 8 minutes à partir de l'ébullition. Enlevez la casserole du feu et laissez le poisson encore 5 minutes dans la casserole.

Égouttez la morue, enlevez la peau et les arêtes. Effritez la chair, pilez-la et mettez-la dans une casserole où vous aurez préalablement frotté les parois avec de l'ail écrasé.

Faites chauffer légèrement le mélange de lait et de crème dans une casserole et l'huile dans une autre.

Travaillez, à feu doux, très énergiquement la morue avec la spatule en bois en incorporant alternativement l'huile et le lait par petites quantités jusqu'à ce que la morue ait l'aspect d'une crème assez épaisse. Ajoutez un filet de citron et donnez un tour de poivre du moulin.

Si la brandade n'est pas assez liée, vous pouvez incorporer 2 ou 3 cuillerées de béchamel bien épaisse assaisonnée.

La brandade peut se servir chaude, accompagnée de croûtons frits, ou bien froide avec des crudités en salade.

Encornets à la provençale

Préparation : 10 minutes
Cuisson : 30 minutes

Ingrédients pour 6 personnes :
1,5 kg d'encornets,
4 tomates bien mûres,
2 oignons,
3 gousses d'ail,
80 g d'olives noires
dénoyautées,
2 pincées de persil haché,
1 feuille de laurier,
1,5 dl de vin blanc sec,
2 cuillerées à soupe de
crème fraîche,
1 pointe de safran,
sel,
poivre du moulin.

Après avoir émincé l'ail et les oignons, faites-les blondir dans 3 ou 4 cuillerées à soupe d'huile d'olive, puis, faites saisir les encornets dans cette même poêle pendant 7 à 8 minutes.

Ajoutez les tomates pelées et épépinées, une pincée de persil, une pointe de safran, le laurier, les olives noires, sel et poivre. Versez le vin blanc et laissez cuire pendant 30 minutes à feu doux à découvert. Cinq minutes avant la fin de la cuisson, ajoutez la crème fraîche, rectifiez l'assaisonnement et servez le plat chaud parsemé de persil frais haché.

Vous pouvez proposer de la graine de couscous légèrement beurrée en accompagnement de ce plat.

Escabèche de sardines

Préparation : 30 minutes
Cuisson : 20 minutes

Ingrédients pour 6 personnes :
1 kg de sardines,
3 carottes,
2 oignons,
1 échalote,
2 gousses d'ail,
4 brins de persil,
3 feuilles de laurier,
1 branche de thym,
2 clous de girofle,
1 pincée de noix muscade
moulue,
1 pointe de poivre de
Cayenne,
1 dl de vin blanc sec,
3 dl de vinaigre de vin,
1 dl d'eau,
huile d'olive,
sel,
poivre du moulin.

Lavez les sardines, videz-les, étêtez-les, enlevez l'arête dorsale en les fendant sur la longueur. Disposez-les dans un plat allant au four ou une terrine, salez et poivrez légèrement.

Épluchez les légumes et coupez-les en rondelles très fines. Faites-les revenir dans une casserole avec 8 à 10 cuillerées à soupe d'huile d'olive, salez et ajoutez tous les aromates énumérés ci-contre. Lorsque les légumes ont blondi, versez le vin blanc, l'eau et le vinaigre et faites bouillir l'ensemble pendant 10 minutes.

Versez la marinade bouillante sur les sardines et enfournez le plat à four moyen pendant 20 minutes.

Ce plat se sert généralement froid, il est même recommandé de le préparer la veille du jour où on désire le manger. Il faut verser un filet d'huile d'olive sur le dessus du plat avant de le consommer.

Feuilletés à la morue

Préparation : 40 minutes
Cuisson : 30 minutes

Ingrédients pour 6 personnes :
500 g de morue dessalée
(à défaut, faites-la dessaler
dans 2 l d'eau fraîche
pendant 24 heures en
changeant l'eau 2 ou 3 fois),
400 g de pâte feuilletée,
1 kg d'épinards,
2 pincées de persil haché,
1 gousse d'ail écrasée,
2 jaunes d'œuf,
2 œufs entiers,
3 cuillerées à soupe de
crème fraîche,
1 pincée de noix muscade
moulue,
1 pointe de piment de
cayenne,
poivre du moulin.

Après avoir lavé les épinards, faites blanchir les feuilles dans 2 l d'eau bouillante salée pendant 6 ou 7 minutes. Passez-les sous l'eau froide, puis égouttez-les bien et hachez-les grossièrement.

Plongez la morue dans l'eau froide et faites-la cuire pendant 8 minutes à partir de l'ébullition. Enlevez les arêtes et la peau. Effeuillez la chair.

Mélangez précautionneusement dans un saladier les épinards, la morue, la crème fraîche, les deux œufs entiers, la muscade, le piment et le poivre. Vérifiez l'assaisonnement.

Étalez la pâte feuilletée sur 1/2 cm d'épaisseur. Découpez 6 rectangles d'égale grandeur (8 cm x 6 cm). Disposez la farce au milieu de chacun d'eux, rabattez la pâte et formez des chaussons. Dorez le dessus au jaune d'œuf. Beurrez une plaque et enfournez à four chaud pendant 25 minutes environ.

Ce feuilleté se sert chaud et peut constituer une entrée ou être servi en guise de plat principal. On peut napper ces feuilletés d'une sauce safranée dont vous pouvez consulter la recette dans la rubrique « Sauces ».

Gambas flambées au pastis

Préparation : 25 minutes
Cuisson : 10 mn environ

Ingrédients pour 6 personnes :
30 gambas
de taille moyenne,
100 g environ de crème
fraîche,
2 échalotes,
quelques feuilles d'estragon
frais,
1 cuillerée à soupe de
pastis,
0,5 dl de cognac,
huile d'arachide,
beurre,
sel,
poivre du moulin.

Décortiquez les gambas crues, jetez les têtes et gardez les queues.

Faites fondre les échalotes, à feu doux, dans 20 g de beurre et deux cuillerées à soupe d'huile au fond d'une poêle. Jetez-y ensuite les gambas, faites-les saisir pendant 2 minutes de chaque côté. Salez, poivrez. Puis, versez le cognac et le ricard (que vous aurez fait préalablement chauffer dans une casserole) sur les gambas et laissez flamber sur feu vif pendant quelques secondes.

Réduisez le feu, puis incorporez la crème fraîche avec 2 pincées d'estragon frais haché. Laissez mijoter pendant 5 minutes, rectifiez l'assaisonnement. Servez chaud.

La subtilité de ce plat est liée à la présence du pastis qui renforce l'estragon tout en restant dans la même gamme d'arômes.

Gâteaux de moules
à la menthe fraîche

Préparation : 45 minutes
Cuisson : 40 minutes

Ingrédients pour 6 personnes :
2 l de moules,
1 échalote,
1,5 dl de vin blanc sec,
2 pincées de fleurs de thym,
3 jaunes d'œuf,
3 œufs entiers,
200 à 250 g de crème fraîche,
beurre,
25 g de gruyère râpé,
4 ou 5 branches de menthe fraîche,
sel,
poivre du moulin.

Grattez, lavez les moules et faites-les ouvrir dans une grande casserole couverte avec le vin blanc, l'échalote hâchée et une pincée de thym. Remuez de temps en temps et laissez cuire pendant 10 minutes. Retirez les moules de la casserole, laissez-les refroidir puis enlevez leur coquille. Passez le jus de cuisson des moules au chinois en prenant soin de mettre un morceau de gaze stérile au fond de la passoire afin de filtrer le sable qui a pu rester dans les coquilles des moules. Réservez le tout.

Battez dans un mixer les six jaunes d'œuf avec 6 grosses cuillerées à soupe de crème fraîche, le gruyère, une pincée de poivre fraîchement moulu et une pincée de sel.

Beurrez 6 ramequins, disposez au fond de chacun d'eux une petite poignée de moules, et remplissez-les aux 3/4 avec la préparation d'œufs.

Faites cuire les gâteaux au bain-marie à four moyen pendant 40 minutes (disposez les ramequins dans un plat à gratin dans lequel vous versez 1/2 l d'eau de façon à ce qu'ils trempent à mi-hauteur). Contrôlez la cuisson en trempant la lame d'un couteau dans le gâteau, elle doit ressortir propre.

Préparez la sauce à la menthe en versant le jus de cuisson des moules dans une petite casserole, ajoutez les feuilles de menthe fraîche ciselées avec une cuillerée à soupe de crème fraîche et donnez un tour de poivre du moulin. Faites bouillir pendant 2 à 3 minutes. Incorporez, hors du feu, 50 g de beurre à l'aide d'un fouet. Vérifiez l'assaisonnement (attention au sel car le jus de cuisson des moules est déjà salé) et démoulez les gâteaux. Nappez-les avec la sauce chaude.

Gratin de la Méditerranée

Préparation : 45 minutes
Cuisson : 10 minutes

Ingrédients pour 6 personnes :
500 g de filets de loup,
500 g de filets de dorade,
12 gambas ou grosses
crevettes de Méditerranée,
2 langoustes (*facultatif*),
1 carotte,
1 oignon,
1,5 dl de vin blanc sec,
huile d'olive,
beurre.

Pour la sauce :
2 à 3 cuillerées à soupe de
farine,
1/4 l environ de bouillon de
cuisson des coffres de langoustes,
100 g de crème fraîche
beurre,
1 pincée de piment de
Cayenne,
1 pincée de noix muscade
moulue,
30 ou 40 g de gruyère râpé,
sel,
poivre du moulin.

Découpez les filets de poisson en forme d'aiguillettes. Décortiquez les crustacés. Coupez la queue des langoustes en médaillons et laissez les gambas entières.

Broyez grossièrement les têtes et faites-les revenir dans une casserole dans 3 ou 4 cuillerées d'huile d'olive avec un oignon et une carotte émincés pendant 3 ou 4 minutes. Recouvrez-les avec 1/2 ou 3/4 l d'eau ainsi que le vin blanc, poivrez et laissez réduire pendant 20 minutes environ. Passer le jus de cuisson au chinois et réservez-le dans un bol (1/4 l environ).

Pendant ce temps, faites fondre 50 g de beurre dans une casserole, ajoutez la farine en mélangeant bien les deux ingrédients puis versez progressivement le jus de cuisson des crustacés et fouettez jusqu'à épaississement de la sauce. Ajoutez la crème fraîche, le piment de Cayenne, la noix muscade, rectifiez l'assaisonnement, et, hors du feu, incorporez, à l'aide d'un fouet, le gruyère râpé.

Faites revenir au fond d'une poêle les aiguillettes de poisson, les médaillons de langouste et les gambas dans 50 g de beurre et une cuillerée à soupe d'huile d'olive pendant 3 ou 4 minutes. Salez, poivrez.

Beurrez un plat à gratin, disposez les poissons et recouvrez-les de sauce. Faites gratiner 5 minutes sous la salamandre du four.

Le gratin se sert très chaud. Vous pouvez proposer un flan d'épinards en accompagnement.

Lotte à la fondue de tomates

Préparation : 25 minutes
Cuisson : 10 minutes

Ingrédients pour 6 personnes :
1,5 kg de filet de lotte,
1,5 kg de tomates bien
mûres,
10 feuilles d'estragon frais,
1 pincée de fleurs de thym,
1 pincée de piment de
Cayenne,
huile d'olive,
beurre,
sel,
poivre du moulin.

Épluchez et épépinez les tomates, coupez-les en morceaux et faites-les revenir au fond d'une poêle avec 5 ou 6 cuillerées à soupe d'huile d'olive. Ajoutez une pincée de thym, l'estragon hache, sel et poivre. Laissez cuire le tout pendant 10 minutes environ. Rectifiez l'assaisonnement. Réservez.

D'autre part, préparez 6 papillotes en papier d'aluminium légèrement beurrées, mettez une cuillerée à café de fondue de tomates dans chacune d'elles, disposez le morceau de poisson que vous assaisonnez de sel et de poivre, recouvrez-le à nouveau d'une autre cuillerée de tomates. Fermez les papillotes de façon hermétique, et enfournez-les à feu vif sur la plaque du four pendant 8 à 10 minutes. Servir très chaud.

Ce poisson doit être rapidement sorti de la papillote et nappé avec le reste de la fondue de tomates que vous aurez mixée avec une grosse noix de beurre frais et une petite pincée de sucre. Rectifiez l'assaisonnement.

Poêlée de coquilles Saint-Jacques à l'estragon

Préparation : 15 minutes
Cuisson : 3 minutes

Ingrédients pour 6 personnes :
30 noix de coquilles Saint-Jacques,
4 échalotes,
12 de feuilles d'estragon haché,
1 dl de crème fraîche,
4 cuillerées à soupe de fine champagne,
2 cuillerées à soupe de porto,
beurre,
sel,
poivre du moulin.

Épluchez les échalotes, émincez-les et faites-les suer doucement dans 30 g de beurre au fond d'une poêle pendant 4 à 5 minutes. Ajoutez dans la même poêle les noix de coquilles Saint-Jacques et faites-les revenir pendant 3 minutes environ en les remuant bien, salez, poivrez et flambez-les avec la fine champagne que vous aurez préalablement fait chauffer dans une petite casserole. Enlevez les coquilles à l'aide d'une écumoire et réservez-les au chaud.

Déglacez le jus de cuisson des coquilles Saint-Jacques avec la crème fraîche et 2 cuillerées à soupe de porto, ajoutez l'estragon et laissez cuire pendant 2 à 3 minutes. Passez la sauce dans un mixer avec 50 g de beurre frais. Rectifiez l'assaisonnement et nappez aussitôt les coquilles Saint-Jacques avec cette sauce que vous saupoudrez de quelques brins d'estragon frais.

Ce plat a un goût subtil, vous pouvez le servir avec un flan de potiron ou un soufflé à la tomate.

Poisson cru
mariné aux herbes de Provence

Préparation : 40 minutes
Cuisson : pas de cuisson,
mais le poisson doit mariner
pendant 6 heures ou plus.

Ingrédients pour 6 personnes :
450 g de filet de saumon,
450 g de filet de dorade,
4 citrons de taille moyenne,
5 échalotes,
2 pincées de ciboulette,
d'estragon et de basilic frais
hachés,
1,5 dl d'huile d'olive,
sel,
poivre du moulin.

Découpez les filets de poissons en petites et fines lamelles, de l'épaisseur d'une tranche de saumon fumé environ. Disposez les morceaux de poisson au fond d'un plat creux. Réservez.

Pendant ce temps, épluchez les échalotes et émincez-les très finement.

Pressez le jus des citrons, versez-les dans un bol où vous ajouterez une bonne pincée de sel, 3 ou 4 tours de moulin à poivre, les fines herbes, l'échalote et l'huile d'olive.

Versez la marinade sur le poisson de façon à ce qu'il soit complètement immergé. Mettez le plat dans le réfrigérateur pendant 6 heures environ. Remuez la préparation 2 ou 3 fois afin que tous les morceaux soient bien imprégnés de la marinade. Le poisson blanchit au contact du citron qui « cuit » la chair.

Cette salade de poissons se consomme très fraîche et constitue une excellente entrée en toutes saisons. On peut utiliser d'autres variétés de poissons de mer (lotte, mérou, rouget, etc.) pour réaliser la salade.

Rougets à la mode provençale

Préparation : 45 minutes
Cuisson : 5 minutes

Ingrédients pour 6 personnes :
6 rougets de 200 g chacun,
1 oignon,
1 gousse d'ail,
1,5 dl de vin blanc sec,
4 brins de persil,
1 filet de vinaigre de vin blanc,
1 brin de fenouil,
huile d'olive,
sel,
poivre du moulin,
poivre noir en grains.

Levez les filets des rougets, en conservant la peau. Enlevez les arêtes à l'aide d'une pince. Salez et poivrez-les. Réservez.

Dans une casserole, faites saisir les arêtes et les têtes des rougets dans 4 ou 5 cuillerées à soupe d'huile d'olive avec quelques grains de poivre. Mouillez à hauteur d'eau, ajoutez le vin blanc et le persil.

Laissez cuire pendant 20 minutes, puis passez le bouillon au chinois.

Faites revenir ensuite ail et oignons au fond d'une casserole avec 25 g de beurre, mouillez avec le fumet et le filet de vinaigre. Laissez réduire pendant 10 minutes environ et fouettez, hors du feu, 50 g de beurre dans la sauce et rectifiez l'assaisonnement. Réservez.

Faites saisir sur feu vif les filets de rouget, côté peau dans une poêle au revêtement antiadhésif, pendant 2 à 3 minutes, puis retournez-les pendant 1 minute de l'autre côté. Disposez-les dans un plat creux, nappez-les de sauce, et mangez-les immédiatement.

Ce plat peut se consommer chaud ou froid suivant les saisons.

Salade de moules à la ciboulette

Préparation : 25 minutes
Cuisson : 10 minutes

Ingrédients pour 6 personnes :
3 kg de moules,
1 oignon,
1 dl de vin blanc sec,
1 pincée de thym moulu,
5 ou 6 cuillerées à soupe de
mayonnaise à laquelle vous
ajouterez une pincée
de piment de Cayenne et
3 gouttes de tabasco,
1,5 dl de jus de cuisson
des moules,
15 brins de ciboulette
ciselée,
sel,
poivre du moulin.

Lavez et grattez les moules. Faites-les ouvrir sur feu vif dans une grande casserole couverte avec le vin blanc, l'oignon émincé et le thym pendant une dizaine de minutes en les remuant régulièrement. Enlevez-les de la casserole à l'aide d'une écumoire et laissez-les refroidir. Réservez 1,5 dl de jus de cuisson des moules que vous filtrerez (dans une passoire à grille fine dont vous tapissez le fond avec un morceau de gaze) afin d'éliminer le sable éventuel qui a pu rester dans les coquilles.

Mélangez dans un bol la mayonnaise avec le jus de cuisson des moules et la ciboulette. Arrosez les moules avec cette sauce et mettez la salade dans le réfrigérateur.

Ce plat se consomme très frais.

Salade de supions à l'ail et au citron

Préparation : 7 ou 8 minutes
Cuisson : 5 minutes

Ingrédients pour 6 personnes :
1,2 kg de petits supions très tendres et bien lavés,
2 pincées de persil haché,
2 brins d'estragon,
1 brin de fenouil,
2 gousses d'ail pilées,
1 citron,
0,5 à 1 dl d'huile d'olive,
sel,
poivre du moulin.

Faites cuire les supions dans une casserole d'eau salée pendant 4 à 5 minutes à partir de l'ébullition. Égouttez-les. Disposez-les dans un plat creux.

Pressez un jus de citron, versez-le dans un bol avec le persil, l'estragon, l'ail, le fenouil hachés, puis l'huile d'olive, sel et poivre. Mixez le tout, arrosez les supions avec cette sauce, mélangez bien l'ensemble et servez très frais.

Cette salade constitue une entrée appréciée et facile à réaliser. Vous pouvez ajouter quelques dés de tomate crue qui s'accommodent bien avec les supions et donnent une jolie touche de couleur à la salade.

Saumon fumé chaud
aux herbes de Provence

Préparation : 15 minutes
Cuisson : 2 minutes

Ingrédients pour 6 personnes :
1 ou 2 tranches de
saumon fumé par personne,
1 pincée de basilic,
d'estragon et
de ciboulette frais,
250 g de crème fraîche,
1 petit pot d'œufs
de saumon,
poivre du moulin.

Hâchez finement le basilic, l'estragon et la ciboulette. Ajoutez ce mélange à la crème fraîche, ainsi que 3 ou 4 tours de moulin à poivre. Ne mettez volontairement pas de sel car le saumon fumé va saler naturellement la marinade.

Un quart d'heure avant de cuire le saumon, disposez les tranches au fond d'un plat creux et recouvrez-les avec le mélange de crème fraîche et de fines herbes de façon à ce que tout soit bien immergé.

Faites chauffer une grande poêle antiadhésive et faites saisir les tranches de saumon encore imprégnées de crème pendant 1 minute de chaque côté (elles se rétractent au contact de la chaleur). Rectifiez l'assaisonnement et disposez-les sur les assiettes. Parsemez le dessus de quelques œufs de saumon et d'une pincée de fines herbes.

Ce plat se consomme chaud, il constitue une entrée mais peut également être servi comme plat principal. Il faut alors prévoir 2 tranches de saumon par personne. Vous pouvez servir des épinards frais en branches en accompagnement.

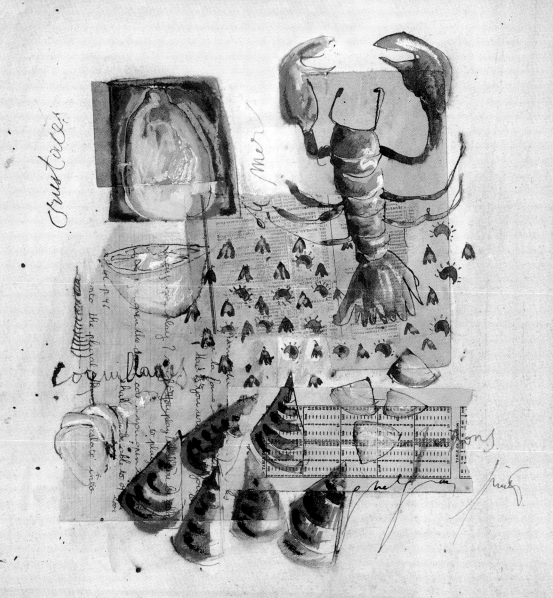

Terrine de lotte à la tomate

Préparation : 25 minutes
Cuisson : 30 minutes

Ingrédients pour 6 personnes :
600 à 700 g de lotte
nettoyée,
1 kg de tomates bien mûres,
6 œufs,
1 oignon,
1 gousse d'ail,
7 ou 8 feuilles de basilic
frais,
quelques feuilles d'estragon
frais,
1 pincée de fleurs de thym,
1 pincée de sucre en poudre,
huile d'olive,
sel,
poivre du moulin.

Découpez la lotte en gros morceaux. Faites-la cuire pendant 4 minutes dans le four à micro ondes ou 5 minutes, à partir de l'ébullition, dans une casserole d'eau salée et poivrée. Égouttez-la et réservez.

Faites revenir dans 5 ou 6 cuillerées d'huile d'olive l'oignon émincé, l'ail écrasé, puis les tomates pelées et épépinées, ajoutez le thym, le basilic, l'estragon, le sel et le poivre sans oublier une petite pincée de sucre en poudre. Laissez réduire le coulis pendant 10 minutes environ sur feu moyen.

Battez les œufs en omelette auxquels vous allez mélanger délicatement les tomates, puis les morceaux de lotte. Rectifiez l'assaisonnement.

Beurrez une terrine ou un moule à cake dans lesquels vous versez la préparation. Faites-la cuire au bain-marie pendant 30 minutes à four chaud. Assurez-vous de la bonne cuisson en enfonçant la lame d'un couteau au cœur de la terrine, la lame doit ressortir propre.

Laissez refroidir la terrine, découpez-la en tranches avec un couteau électrique de préférence pour avoir des tranches bien nettes.

Vous pouvez réaliser ce plat la veille. Il se consomme très frais. Vous pouvez le servir avec une mayonnaise ou avec une sauce aux fines herbes (consultez la recette dans la rubrique « Sauces »).

Viandes & volailles

Andouillettes braisées à l'Espérandieu

Préparation : 10 minutes
Cuisson : 45 minutes

Ingrédients pour 6 personnes :
6 andouillettes pur porc,
4 échalotes,
3 pincées de persil haché,
1/2 l de Côtes du Rhône rosé
Espérandieu,
sel,
poivre du moulin.

Épluchez et hachez les échalotes très finement ainsi que le persil. Réservez.

Piquez les andouillettes à l'aide d'une fourchette, disposez-les au fond d'un plat (en terre, de préférence) allant au four. Répartissez l'échalote et le persil hachés sur les andouillettes, ainsi que le vin de façon à les immerger complètement. Salez, poivrez. Recouvrez le plat d'une feuille de papier aluminium, et mettez-le à braiser à four chaud pendant 45 minutes environ. Le vin doit être presque complètement absorbé par les andouillettes et les échalotes à la fin de la cuisson.

Ce plat est savoureux et ne présente aucune difficulté de réalisation. Vous pouvez servir une purée de pommes de terre en accompagnement.

Il faut toujours choisir des andouillettes de bonne qualité. Afin que les conditions de cuisson soient optimales, sortez-les du réfrigérateur au moins deux heures avant de les faire cuire. Prenez soin de les enlever délicatement du plat avec une spatule lorsque vous les servirez.

Blancs de poulet à l'estragon

Préparation : 20 minutes
Cuisson : 40 minutes

Ingrédients pour 6 personnes :
6 blancs de poulet,
400 g de champignons de
Paris frais et nettoyés ou
autres champignons comme
des cèpes, des girolles ou des
morilles *(une poignée suffit
alors pour parfumer le plat)*,
1 gros oignon,
1/4 l de vin blanc,
300 g environ de crème
fraîche,
15 feuilles d'estragon frais,
1 petite pincée de noix muscade moulue,
1 cuillerée à soupe de
maïzena,
sel,
poivre du moulin.

Épluchez l'oignon, émincez-le avec les champignons et faites-les revenir dans une poêle avec 3 cuillerées à soupe d'huile et 25 g de beurre pendant 5 ou 6 minutes. Salez, poivrez. Réservez.

Fouettez dans le mixer la crème fraîche avec le vin blanc, le sel, le poivre, la muscade.

Salez et poivrez les escalopes de poulet de chaque côté. Beurrez un plat à gratin et disposez d'abord les blancs de poulet, puis les champignons revenus avec l'oignon. Versez la préparation à base de crème fraîche dessus, répartissez les feuilles d'estragon ciselées dans le plat et enfournez à four chaud pendant 35 à 40 minutes.

Sortez le plat du four, retirez les blancs de poulet avec les champignons, gardez-les au chaud. Versez le jus de cuisson dans une casserole, mettez-le à chauffer sur feu moyen en y incorporant à l'aide d'un fouet une cuillerée à soupe de maïzena (que vous aurez délayée auparavant avec une cuillerée à soupe d'eau au fond d'une tasse). Laissez cuire pendant 2 ou 3 minutes jusqu'à épaississement de la sauce, mixez-la dans le robot puis rectifiez l'assaisonnement.

Servez les blancs de poulet nappés de sauce parsemée de quelques brins d'estragon frais avec des pâtes fraîches.

Si vous disposez de temps, faites mariner les blancs de poulet dans la crème fraîche pendant 2 ou 3 heures avant de les faire cuire. Ils seront plus moelleux.

Bœuf aux anchois

Préparation : 25 minutes
Cuisson : 2 h 15

Ingrédients pour 6 personnes :
2 kg de culotte de bœuf,
8 anchois au sel,
1 oignon,
150 g de câpres,
5 ou 6 cornichons,
2 clous de girofle,
8 gousses d'ail,
1 bouquet garni,
1 dl de cognac,
1 bouteille de Côtes
du Rhône rouge,
huile d'olive,
sel,
poivre du moulin.

Hachez en même temps les anchois dessalés, les câpres et les cornichons. Réservez.

Faites revenir les oignons émincés dans une casserole avec 3 ou 4 cuillerées à soupe d'huile, ajoutez la viande coupée en dés de 4 cm x 4 cm, sel et poivre et faites-la dorer pendant 10 minutes environ. Versez le cognac, flambez la viande puis ajoutez le bouquet garni, les clous de girofle, l'ail écrasé et le vin. Portez la casserole à ébullition pendant 5 minutes puis, mettez la viande dans une cocotte en terre allant au four. Fermez-la hermétiquement et laissez cuire la viande à four doux pendant deux heures.

Vingt minutes avant la fin de la cuisson, ajoutez le hachis d'anchois, de cornichons et de câpres dans la cocotte. Mélangez bien, refermez la cocotte et terminez la cuisson. Rectifiez l'assaisonnement avant de servir. Vous pouvez passer la sauce dans le mixer.

Le bœuf aux anchois se mange avec des gros macaronis en accompagnement. Vous pouvez préparer ce plat en sauce la veille du repas, il n'en sera que meilleur réchauffé. Pensez à sortir la viande de votre réfrigérateur au moins 2 ou 3 heures avant de la faire cuire.

Caillettes provençales

Préparation : 30 minutes
Cuisson : 40 minutes

Ingrédients pour 6 personnes :
150 g de foie de porc,
200 g d'échine de porc,
1 oignon,
3 gousses d'ail,
persil,
cerfeuil,
ciboulette,
2 grains de genièvre,
noix muscade,
500 g d'épinards en
branches,
3 œufs,
1 morceau de crépine,
1 verre de vin blanc sec,
1 pot de 100 g de saindoux,
sel,
poivre du moulin.

Faites blanchir les épinards pendant 5 minutes dans de l'eau bouillante salée. Égouttez-les bien. Hachez-les finement. Réservez.

D'autre part, passez la viande dans la moulinette avec l'ail, l'oignon, 3 ou 4 brins de persil, une pincée de cerfeuil, la moitié d'une botte de ciboulette, le genièvre, une pincée de noix muscade moulue, sel et poivre.

Mélangez maintenant, dans un plat profond les épinards avec la viande hachée, ajoutez les œufs battus en omelette, rectifiez l'assaisonnement.

Coupez avec des ciseaux la crépine en 6 ou 8 parts (suivant la grosseur des caillettes que vous désirez), partagez la farce des caillettes en 6 ou 8 boules que vous envelopperez dans la crépine.

Beurrez un plat allant au four, disposez les caillettes ou fricandeaux à l'intérieur, mettez deux cuillerées de saindoux avec le vin blanc au fond du plat et laissez cuire à four moyen pendant 40 minutes environ. Arrosez de temps en temps avec le jus de cuisson.

Les caillettes peuvent se consommer chaudes ou froides. Coupez-les en fines tranches et proposez-les avec une salade verte frisée.

Charlotte d'agneau aux aubergines

Préparation : 55 minutes
Cuisson : 25 minutes

Ingrédients pour 6 personnes :
1, 5 kg d'aubergines,
600 g d'épaule d'agneau
désossée,
1 poignée de riz,
5 œufs,
1 dizaine de feuilles de
menthe fraîche,
1 pincée de cumin,
2 pincées de piment de
Cayenne,
huile d'olive,
sel,
poivre du moulin.

Épluchez les aubergines et coupez-les en rondelles de 1,5 cm d'épaisseur. Saupoudrez-les de gros sel et faites-les dégorger pendant 10 à 15 minutes dans une passoire. Essuyez-les bien. Faites-les frire dans l'huile chaude mais non bouillante jusqu'à ce qu'elles soient dorées. Mettez-les à égoutter dans une passoire. Réservez.

Faites cuire la poignée de riz dans 1 l d'eau bouillante pendant 11 minutes à partir de l'ébullition. Égouttez-le. Réservez.

Coupez l'épaule d'agneau en morceaux et passez-la dans la moulinette avec la menthe, le cumin, le piment de Cayenne, 2 ou 3 cuillerées à soupe d'huile d'olive, sel et poivre. Mettez la viande dans un plat et mélangez-y les œufs battus en omelette et le riz. Rectifiez l'assaisonnement.

Prenez six ramequins et tapissez le fond et les parois avec les tranches d'aubergines rôties. Versez la farce à l'intérieur et recouvrez bien hermétiquement avec une tranche d'aubergine.

Faites cuire les charlottes au bain-marie pendant 25 minutes environ qui peuvent se consommer chaudes ou tièdes.

Chipolatas à la tomate

Préparation : 20 minutes
Cuisson : 15 minutes

Ingrédients pour 6 personnes :
18 chipolatas,
8 à 10 tomates bien mûres,
1 oignon,
2 gousses d'ail,
2 pincées de fleurs de thym moulu,
basilic frais,
estragon frais,
1 feuille de laurier,
1 pincée de sucre en poudre,
huile d'olive,
sel,
poivre du moulin.

Faites griller les saucisses (piquées préalablement avec une fourchette afin qu'elles n'éclatent pas) dans une poêle antiadhésive pendant 10 minutes environ sur feu doux. Salez, poivrez, réservez.

Pendant ce temps, faites revenir les oignons émincés dans quelques cuillerées d'huile d'olive avec l'ail. Ajoutez les tomates pelées, épépinées, coupées en morceaux avec deux pincées de basilic, d'estragon, de thym, le laurier et une pincée de sucre. Salez, poivrez. Laissez réduire pendant 15 minutes environ. Mixez le coulis dans le robot puis versez-le sur les chipolatas. Faites chauffer encore 5 minutes sur feu doux. Rectifiez l'assaisonnement.

Ce plat simple se sert chaud, saupoudré de basilic frais. Vous pouvez proposer quelques pâtes fraîches en accompagnement.

Feuilletés d'escargots

Préparation : 35 minutes
Cuisson : 20 minutes

Ingrédients pour 6 personnes :
500 ou 600 g d'escargots de
Bourgogne *(à défaut utilisez
des conserves de qualité)*,
200 g de champignons de
Paris,
400 g de pâte feuilletée,
2 tomates,
3 pincées de persil haché,
2 gousses d'ail,
2 échalotes,
ciboulette fraîche,
crème fraîche,
1 jaune d'œuf,
1/4 l de vin blanc sec,
beurre,
sel,
poivre du moulin.

Pour la sauce :
le jus de cuisson des
escargots,
1/4 l de bouillon de volaille,
2 cuillerées à soupe de
crème fraîche, beurre,
1 pincée de ciboulette.

Émincez les échalotes, les champignons, hachez l'ail et le persil, pelez et épépinez les tomates. Réservez. Mettez les escargots à chauffer doucement dans le vin blanc avec une pincée de thym dans une casserole pendant 7 ou 8 minutes environ. Égouttez les escargots et gardez le jus de cuisson dans un bol.

Faites blondir dans une cuillerée de beurre et une cuillerée d'huile les échalotes au fond d'une poêle. Ajoutez alors les champignons avec l'ail et le persil puis les tomates et laissez cuire pendant 7 à 8 minutes Versez les escargots avec 2 cuillerées à soupe de crème, salez, poivrez, laissez mijoter pendant 5 minutes en mélangeant bien le tout. Réservez.

Pendant ce temps, étalez la pâte feuilletée sur 1/2 cm d'épaisseur et découpez-la en six rectangles d'égale grandeur (8 cm x 6 cm environ). Disposez escargots et champignons équitablement au centre de chaque feuilleté. Rabattez la pâte sur la préparation de façon à former des chaussons bien hermétiques. Dorez-les au jaune d'œuf et faites-les cuire, à four chaud, sur une plaque beurrée pendant 20 minutes jusqu'à ce qu'ils soient dorés.

Ces feuilletés doivent être servis dès qu'ils sortent du four. Vous pouvez les napper avec la sauce suivante. Faites réduire, de moitié, le jus de cuisson des escargots avec 1/4 l de bouillon de volaille sur feu moyen. Ajoutez la crème fraîche, sel et poivre, donnez un tour de bouillon et, hors du feu, fouettez 50 g de beurre dans la casserole. Ajoutez une pincée de ciboulette fraîche et rectifiez l'assaisonnement.

Filet de bœuf mariné

**Préparation : 25 minutes
+ 2 h de marinade
Cuisson : 4 minutes**

Ingrédients pour 6 personnes :
6 tranches de filet de bœuf
assez épaisses de 250 g
chacune environ,
50 g de beurre,
15 à 20 cl de cognac,
6 cuillerées à soupe de
porto,
3 cuillerées à café de poivre
vert,
1 pincée d'estragon frais,
250 g de crème fraîche,
sel,
poivre du moulin.

Pour la marinade :
3/4 l de vin Côtes du Rhône
rouge,
2 carottes,
2 oignons,
2 pincées de fleurs de thym,
1 feuille de laurier.

Émincez les oignons et les carottes en lamelles et mettez-les à mariner dans un plat profond avec les tranches de filet de bœuf, le vin rouge, le laurier, le thym, sel et poivre pendant 2 heures au minimum. Égouttez bien la viande. Réservez 3 dl environ de marinade que vous emploierez plus tard pour faire la sauce.

Faites fondre doucement 50 g de beurre dans une poêle puis faites saisir, sur feu vif, le filet de bœuf pendant 2 minutes environ de chaque côté. Salez, poivrez. Faites chauffer le cognac dans une petite casserole, versez-le sur la viande et flambez. Enlevez le bœuf de la poêle et maintenez-le au chaud. Pendant ce temps, déglacez le beurre de cuisson avec la marinade et le porto, ajoutez la crème et laissez réduire à feu moyen pendant 10 minutes. Versez le poivre vert et rectifiez l'assaisonnement.

Disposez la viande sur les assiettes et nappez-la avec la sauce. Vous pouvez servir quelques pâtes fraîches beurrées et saupoudrées d'une pincée d'estragon frais.

Foie gras poêlé
aux raisins muscats

Préparation : 30 minutes
Cuisson : 4 minutes

Ingrédients pour 6 personnes :
1 foie gras de canard ou d'oie
de 800 g environ,
500 g de raisins muscats
blancs,
1 dl de madère,
sel,
poivre du moulin.

Pelez et épépinez les raisins. Réservez. Après avoir dénervé le foie, coupez-le en escalopes régulières de 1/2 cm environ d'épaisseur. Salez et poivrez.

Faites revenir le foie dans une poêle dotée d'un revêtement antiadhésif sur feu très modéré pendant 2 minutes de chaque côté environ. Retirez les escalopes.

Déglacez le jus de cuisson avec le madère. Laissez cuire pendant 3 à 4 minutes, puis passez la sauce dans le mixer, rectifiez l'assaisonnement. Réchauffez les tranches de foie et les raisins dans la sauce.

Soyez très vigilants pour la cuisson des escalopes de foie, elles doivent être encore rosées. Prévoyez deux escalopes de foie par personne que vous napperez de sauce et de raisins. Ce plat peut constituer aussi bien une entrée qu'un plat principal.

Fricassée de foies de volaille à l'estragon

Préparation : 5 minutes
Cuisson : 10 minutes

Ingrédients pour 6 personnes :
800 g à 1 kg de foies de volailles,
1 gousse d'ail,
1 dizaine de feuilles d'estragon frais,
2 pincées de persil haché,
4 cuillerées à soupe de cognac,
1 cuillerée à soupe de crème fraîche,
beurre,
huile d'arachide,
sel,
poivre du moulin.

Épluchez l'ail et écrasez-le à l'aide d'un presse-ail. Réservez.

Faites saisir les foies de volaille dans une cuillerée à soupe de beurre et une cuillerée à soupe d'huile au fond d'une poêle pendant 7 à 8 minutes en les remuant régulièrement. Salez, poivrez, ajoutez le persil, l'ail et l'estragon. Puis, après avoir fait chauffer le cognac dans une petite casserole, versez-le sur les foies et faites-les flamber sur feu vif. Diminuez l'intensité du feu, versez la crème fraîche que vous mélangez bien avec les foies et laissez cuire pendant 2 à 3 minutes encore. Vérifiez l'assaisonnement.

Servez aussitôt la fricassée de foies parsemée d'une pincée d'estragon haché. Vous pouvez accommoder ce plat avec des fonds d'artichauts sautés à la poêle.

Grives à la sauce truffée

Préparation : 30 minutes
Cuisson : 15 minutes

Ingrédients pour 6 personnes :
6 grives,
6 croûtons,
1 truffe de 30 g environ,
1 morceau de barde
de lard,
2 jaunes d'œuf,
beurre,
sel,
poivre du moulin.

Râpez finement la truffe. Réservez. Ne videz pas les grives déjà plumées. Entourez chacune d'elles d'une petite barde de lard à l'aide d'une ficelle.

Faites-les cuire dans une casserole avec 50 g de beurre pendant 10 à 15 minutes, sur feu moyen, en les retournant à mi cuisson. Salez, poivrez. Sortez-les de la cocotte, retirez avec soin l'intérieur des grives que vous allez passer dans le mixer. Maintenez les grives au chaud.

Dans la cocotte de cuisson, ajoutez « l'intérieur » haché des grives, les 2 jaunes d'œuf et la truffe râpée. Battez le tout avec une fourchette, sur feu très doux, pendant 2 minutes. Rectifiez l'assaisonnement.

Faites griller d'autre part les croûtons légèrement beurrés au four, dressez les grives sur les croûtons et arrosez-les avec la préparation précédente.

Il faut être amateur de gibier pour apprécier cette recette. Il faut essayer de trouver des grives de la région qui se sont nourries avec des grains de raisin pour être assuré de la qualité du plat.

Jambon à l'os braisé à la sauge

Préparation : 20 minutes
Cuisson : 25 minutes

Ingrédients pour 6 personnes :
6 tranches de jambon à l'os
assez épaisses,
4 échalotes,
2 gousses d'ail,
250 g de champignons de
Paris,
1 cuillerée à soupe de
vinaigre de vin,
1 pincée de thym moulu,
2 pincées de persil haché,
3 pincées de sauge sèche de
préférence *(elle aura perdu
son amertume)*,
1/2 l de vin blanc sec,
beurre,
2 cuillerées à soupe de
crème fraîche,
sel,
poivre du moulin.

Épluchez et émincez les échalotes, l'ail et les champignons. Hachez le persil. Réservez.

Mettez les échalotes à cuire dans une casserole avec le vinaigre. Faites-le complètement évaporer sur feu doux. Ajoutez une cuillerée à soupe de beurre, les champignons, le persil, l'ail, le thym et la sauge avec le vin blanc. Laissez cuire à feu doux jusqu'à réduction totale du vin. Ajoutez la crème fraîche. Salez, poivrez. Réservez la sauce au chaud. Vous pouvez la mixer très rapidement de façon à ce qu'il reste encore quelques morceaux.

Beurrez un plat allant au four. Disposez les tranches de jambon à l'intérieur. Arrosez le jambon avec le vin blanc restant. Couvrez soigneusement le plat avec du papier aluminium et enfournez-le à four vif pendant 20 à 25 minutes.

Sortez le jambon braisé du four. Versez le vin blanc restant au fond du plat dans la sauce à la sauge que vous réchauffez, puis fouettez, hors du feu, 50 g de beurre dans cette sauce et versez-la sur le jambon. Servez immédiatement.

Vous pouvez proposer des pommes de terre cuites à la vapeur avec ce plat ou une purée de lentilles vertes.

Lapin aux olives

Préparation : 10 minutes
Cuisson : 55 minutes

Ingrédients pour 6 personnes :
1 lapin de 1,5 à 2 kg,
2 oignons,
150 g de lard de poitrine fumée,
150 g d'olives vertes et noires dénoyautées,
3 gousses d'ail,
2 pincées de fleurs de thym moulu,
3 pincées de persil frais haché,
1 dl de vin blanc sec,
1 verre à liqueur de cognac,
1 dl d'eau,
huile d'olive,
sel,
poivre du moulin.

Faites revenir les oignons émincés dans quelques cuillerées d'huile d'olive avec le lard fumé sur feu doux. Ajoutez alors les morceaux de lapin que vous faites dorer de toutes parts pendant 10 à 15 minutes. Flambez avec le cognac, salez, poivrez.

Ajoutez le vin blanc, l'eau, les olives, les gousses d'ail et le thym. Laissez mijoter, sans couvrir la casserole pendant 40 minutes.
Liez maintenant la sauce en mélangeant une cuillerée à soupe de maïzena avec une cuillerée à soupe d'eau dans une tasse et versez cette préparation dans la sauce en fouettant bien le tout sur feu doux. Rectifiez l'assaisonnement.

Vous pouvez présenter les morceaux de lapin nappés de sauce et saupoudrés de persil haché avec des pâtes fraîches en accompagnement.

Paupiettes de veau à la niçoise

Préparation : 30 minutes
Cuisson : 45 minutes

Ingrédients pour 6 personnes :
12 escalopes de veau
(noix de veau) de 50 g environ chacune,
150 g de jambon cuit,
150 g d'olives noires
dénoyautées,
3 gousses d'ail,
7 ou 8 brins de persil,
thym,
1,5 dl de vin blanc sec,
3 tomates mûres,
le jus d'un demi citron,
3 cuillerées à soupe de
crème fraîche,
huile d'olive,
sel,
poivre du moulin.

Aplatissez les escalopes de veau. Assaisonnez-les avec du sel et du poivre. Passez le jambon, l'ail, le persil, la moitié des olives noires dans une mouli-nette. Ceci constitue la farce.

Partagez la farce en six et disposez un petit tas sur chaque escalope, poivrez, ne salez pas trop à cause du jambon et des olives. Roulez les paupiettes et attachez-les aux extrémités avec de la ficelle de cuisine.

Faites chauffer quelques cuillerées d'huile d'olive dans une cocotte, disposez les paupiettes à l'intérieur et faites-les dorer sur feu vif pendant 5 ou 6 minutes. Ajoutez les tomates, le reste d'olives, une pincée de thym moulu, le vin blanc et une cuillerée à soupe d'eau, le jus d'un demi citron. Laissez mijoter pen-dant 30 minutes environ puis versez la crème fraîche en la mélangeant bien avec les autres ingrédients et faites cuire la préparation pendant 10 minutes. Rectifiez l'assaisonnement. Servez chaud.

Vous pouvez cuisiner les paupiettes la veille, elles n'en seront que meilleures lorsque vous les réchauf-ferez. Proposez en accompagnement une purée de petits pois frais.

Perdreaux aux échalottes

Préparation : 20 minutes
Cuisson : 45 minutes

Ingrédients pour 6 personnes :
3 perdreaux,
12 échalotes,
12 gousses d'ail,
2 pincées de thym frais,
beurre,
huile d'arachide,
1 dl de bouillon de volaille,
1 dl de vin blanc sec,
sel,
poivre du moulin.

Salez, poivrez l'intérieur et l'extérieur des perdreaux et recouvrez-les d'une barde de lard, faites-les dorer dans un mélange de beurre et d'huile dans une cocotte avec 2 pincées de thym sur feu assez vif, pendant 7 à 8 minutes de chaque côté. Salez, poivrez. Ajoutez les échalotes entières et épluchées puis les gousses d'ail lavées mais en gardant leur peau. Versez le bouillon de volaille et le vin. Laissez mijoter à l'étouffée pendant une 1/2 heure environ jusqu'à ce que les échalotes soient fondantes. Rectifiez l'assaisonnement.

Servez la moitié d'un perdreau par personne, nappé de jus de cuisson avec les échalotes et l'ail quasiment confits autour du gibier. Vous pouvez proposer, en guise d'accompagnement du choux vert coupé en lanières, revenu à la poêle ou bien une purée de lentilles.

Poulet farci à l'ail nouveau et au thym

Préparation : 10 minutes
Cuisson : 45 minutes

Ingrédients pour 6 personnes :
1 poulet de 1,5 kg ou 2 kg,
4 ou 5 pincées de fleurs de thym moulu,
8 gousses d'ail nouveau,
1 dl d'huile d'olive,
beurre,
3 croûtons de baguette de pain aillés,
sel,
poivre du moulin.

Mélangez 3 ou 4 pincées de thym moulu et l'ail pilé avec 50 g de beurre mou dans un bol.

Salez, poivrez l'intérieur du poulet et garnissez-le avec cette préparation à base de beurre ainsi qu'avec les croûtons aillés. Mélangez dans un verre le reste du thym avec l'huile d'olive qui va permettre de badigeonner la volaille avant de l'enfourner. Salez, poivrez maintenant l'extérieur du poulet et faites-le cuire à four chaud pendant 45 minutes en prenant soin de l'arroser régulièrement avec l'huile d'olive.

La volaille ainsi préparée a une chair savoureuse et délicatement parfumée à l'ail. Vous pouvez servir, en accompagnement, une salade verte et les croûtons aillés qui ont cuit à l'intérieur du poulet.

Rognons et ris de veau aux cèpes

**Préparation : 35 minutes
(mais il faut penser à faire
dégorger le ris de veau la
veille)
Cuisson : 7 minutes**

Ingrédients pour 6 personnes :
1 rognon de veau de
600 g environ,
500 g de ris de veau,
800 g de cèpes,
4 échalotes,
1 pincée de ciboulette
fraîche,
1 pincée de persil,
beurre,
huile,
sel,
poivre du moulin.

Après avoir fait dégorger le ris de veau dans l'eau froide avec une pincée de sel pendant une nuit dans le réfrigérateur, mettez-le dans une casserole d'eau froide et amenez-le à ébullition pendant 5 minutes. Replongez-le dans l'eau fraîche pendant 10 minutes encore. Essuyez-le et débitez-le en tranches de 1 cm d'épaisseur. Réservez.

Émincez les échalotes et les cèpes. Ciselez persil et ciboulette. Débitez le rognon en tranches. Réservez.

Faites revenir les échalotes dans 25 g de beurre sur feu très doux jusqu'à ce qu'elles soient transparentes. Ajoutez deux cuillerées à soupe d'huile et 20 g de beurre, versez les cèpes, salez, poivrez et faites-les sauter pendant 10 minutes environ sur feu moyen. Saupoudrez de ciboulette. Réservez.

Faites revenir par ailleurs les tranches de rognon et de ris de veau salés et poivrés dans deux poêles différentes dans un mélange de beurre et d'huile pendant 2 minutes environ.

Servez immédiatement les rognons et ris de veau, nappés avec le beurre de cuisson des ris de veau et accompagnés des cèpes.

Cette recette est très simple à réaliser. C'est la qualité noble des produits qui en fait son succès. Vous pouvez, à défaut de cèpes, servir des girolles ou autres champignons.

Saucisson de viande

Préparation : 35 minutes
Cuisson : 40 minutes

Ingrédients pour 6 personnes :
350 g de noix de veau,
350 g d'échine de porc désossée,
150 g de poitrine de porc fraîche,
1 morceau de crépine de porc,
1 oignon,
2 gousses d'ail,
200 g de champignons de Paris,
2 œufs,
2 cuillerée à soupe de crème fraîche,
ciboulette,
6 ou 7 brins de persil,
2 ou 3 feuilles de sauge sèche,
sel,
poivre du moulin,
5 ou 6 grains de poivre vert.

Faites tremper la crépine dans une casserole d'eau froide pendant 15 minutes. Réservez.

Passez à la moulinette l'échine et la poitrine de porc avec le veau, le persil, l'ail, l'oignon, la ciboulette, la sauge. Réservez.

Faites revenir les champignons émincés dans 2 cuillerées d'huile et 25 g de beurre, sur feu doux avec sel, poivre et persil haché. Réservez.

Mélangez dans un grand saladier la viande passée à la moulinette avec les champignons, ajoutez les œufs battus en omelette, salez, poivrez. Après avoir malaxé les ingrédients, versez la farce sur une planche en bois, donnez-lui la forme d'un saucisson.

Égouttez bien la crépine, étalez-la sur la planche en bois et disposez la farce à l'intérieur. Ficelez les extrémités du saucisson. Mettez-le dans un plat légèrement huilé, allant au four et faites-le cuire pendant 40 minutes environ à four vif.

Enlevez le surplus de matière grasse qu'a restitué la crépine dans le plat de cuisson, déglacez le fond du jus de cuisson avec un 1/2 verre d'eau, ajoutez la crème fraîche, un peu de sel et le poivre vert. Passez la sauce au mixer.

Servez le saucisson de viande coupé en tranches, nappé avec la sauce décrite précédemment. Découper les tranches à l'aide d'un couteau électrique.

Terrine de foies de volailles aux olives noires

Préparation : 20 minutes
Cuisson : 6 minutes

Ingrédients pour 6 personnes :
250 g d'olives noires
dénoyautées,
250 g de foies de volailles,
150 g de beurre mou,
3 cuillerées à soupe de
porto,
1 pincée de 4 épices,
1 pincée de noix muscade
moulue,
beurre,
huile d'arachide,
sel,
poivre du moulin.

Hachez finement les olives noires. Réservez. Faites revenir les oignons émincés dans une cuillerée à soupe de beurre et 2 cuillerées à soupe d'huile pendant 4 ou 5 minutes, ajoutez les foies de volailles et poursuivez la cuisson pendant 5 à 6 minutes en les retournant dans la poêle.

Passez les foies de volaille dans le mixer avec les oignons, le porto, la muscade, le poivre et très peu de sel.

Incorporez maintenant, manuellement, à cette préparation, le beurre ramolli auquel vous aurez mélangé les olives hachées jusqu'à ce que vous obteniez une pâte homogène. Rectifiez l'assaisonnement.

Remplissez une terrine adaptée à la quantité d'ingrédients que vous avez, et mettez-la dans le réfrigérateur pendant 3 heures au minimum.

Cette terrine est goûteuse. Il faut être vigilant quant à la cuisson des foies, ils doivent être rosés et surtout pas trop cuits car cela ferait disparaître toute la saveur de la préparation. Cette terrine constitue une entrée appréciée que vous pouvez servir avec des toasts grillés et des oignons glacés (consultez la recette dans la rubrique « Légumes ») ou bien simplement avec une salade verte.

Tourte de canard à l'estragon

Préparation : 2 heures
Cuisson : 25 minutes

Ingrédients pour 6 personnes :
1 canard de 2 kg environ,
1 gros oignon,
100 g d'olives vertes
dénoyautées,
250 g de champignons de
Paris frais ou autres variétés,
7 ou 8 grains d'anis,
12 feuilles d'estragon frais,
1 pincée de ciboulette
fraîche hachée,
sel,
poivre du moulin,
beurre,
huile d'arachide ou de
tournesol,
400 g de pâte feuilletée,
1 jaune d'œuf.

Faites rôtir le canard salé et poivré à four doux pendant une heure et demie environ en prenant soin de l'arroser régulièrement avec le mélange de beurre et d'huile dans lequel il cuit. Déglacez le jus de cuisson avec 1/2 verre d'eau chaude. Réservez.

Lorsque la volaille a refroidi, détachez la chair des os du canard. Coupez les magrets, la chair des pattes et des cuisses en forme d'aiguillettes. Réservez.

Faites revenir maintenant l'oignon et les champignons émincés au fond d'une casserole dans une cuillerée à soupe de beurre et 3 cuillerées à soupe d'huile pendant une dizaine de minutes. Salez, poivrez. Ajoutez la viande du canard débitée avec l'estragon (c'est l'aromate dominant), l'anis, la ciboulette hachée, les olives vertes ainsi que quelques cuillerées à soupe de jus de cuisson du canard. Mélangez bien l'ensemble et rectifiez l'assaisonnement. Réservez.

Étalez la pâte feuilletée, disposez-la au fond d'un moule à tarte. Piquez la pâte avec une fourchette, puis répartissez la viande de canard uniformément. Recouvrez de pâte feuilletée, dorez au jaune d'œuf et enfournez la tourte à four chaud pendant 25 minutes environ jusqu'à ce qu'elle soit dorée.

Cette tourte se consomme chaude, vous pouvez la napper d'une « crème de champignons » dont vous pouvez consulter la recette dans la rubrique « Sauces ».

Veau aux asperges

Préparation : 35 minutes
Cuisson : 1 h 50

Ingrédients pour 6 personnes :
1,5 kg de noix de veau,
1 botte d'oignons
nouveaux,
1 botte de pointes
d'asperges *(500 g)*,
1 bouquet garni,
1/2 l de bouillon de viande,
2 cuillerées à soupe de
crème fraîche,
1,5 dl de vin blanc sec,
2 pincées de persil haché,
huile,
beurre,
sel,
poivre du moulin.

Faites dorer, dans une casserole, la noix de veau de tous les côtés, avec 50 g de beurre et 2 cuillerées à soupe d'huile d'arachide, sel, poivre et les oignons nouveaux pendant 15 à 20 minutes sur feu moyen. Mouillez ensuite avec 1/2 l de bouillon, un verre de vin blanc et ajoutez le bouquet garni. Couvrez la casserole et laissez mijoter pendant 1 h 30.

Pendant ce temps, faites cuire les asperges épluchées dans l'eau bouillante salée pendant 25 minutes. Égouttez-les et ajoutez-les à la viande avec 2 cuillerées à soupe de crème fraîche. Laissez mijoter encore 5 minutes. Rectifiez l'assaisonnement.

Coupez la viande en tranches, nappez-la avec la sauce et les pointes d'asperges, saupoudrez de persil haché.

Veau aux cèpes

Préparation : 25 minutes
Cuisson : 45 minutes

Ingrédients pour 6 personnes :
1,5 kg de filet de veau,
300 g de cèpes frais ou à
défaut 2 poignées de cèpes
secs,
4 échalotes,
4 pincées de persil haché,
150 g de crème fraîche,
1,5 dl de vin blanc sec,
huile d'olive,
beurre,
sel,
poivre du moulin.

Faites suer les échalotes émincées dans une cuillé-rée à soupe de beurre et 2 cuillerées à soupe d'huile d'olive au fond d'une cocotte. Puis ajoutez le filet de veau que vous faites revenir de tous les côtés sur feu moyen jusqu'à ce qu'il soit doré pendant 25 à 30 minutes. Salez, poivrez.

Pendant ce temps, faites revenir les cèpes émin-cés dans deux cuillerées à soupe de beurre et une d'huile pendant 10 minutes sur feu moyen. Salez, poivrez, ajoutez 2 pincées de persil haché. Réservez.

Enlevez la viande de la casserole et maintenez-la au chaud. Déglacez le jus de cuisson avec le vin blanc, détachez bien les sucs du fond, remuez et ver-sez les cèpes dans la cocotte avec la crème fraîche. Remettez la viande et laissez mijoter pendant 15 minutes encore.

Découpez le filet en tranches de 1,5 cm et nap-pez-le avec la sauce et les cèpes saupoudrés de persil haché.

Sauces

Aïoli

Préparation : 15 minutes

Ingrédients pour 6 personnes :
5 gousses d'ail,
2 jaunes d'œuf,
1/2 cuillerée à café de moutarde forte,
3 dl environ d'huile d'olive,
1/2 citron pressé,
sel,
poivre du moulin.

Épluchez les gousses d'ail, enlevez le germe et écrasez-les à l'aide d'un mortier ou d'un presse-ail.

Mettez l'ail réduit en pommade au fond d'un grand bol, ajoutez la moutarde, une pincée de sel, de poivre et les jaunes d'œuf (il est préférable que tous les ingrédients soient à la même température). Remuez le tout, versez un tout petit filet d'huile et commencez à fouetter avec un fouet électrique (de préférence) jusqu'à ce que la préparation s'épaississe, continuez à verser l'huile régulièrement jusqu'à obtention de la quantité d'aïoli que vous souhaitez (vous pouvez verser 1/2 l d'huile pour la quantité des ingrédients précités). La consistance doit être épaisse.

Ajoutez le jus d'un demi-citron, remuez bien. Rectifiez l'assaisonnement et mettez l'aïoli au frais.

Cette sauce très appréciée en Provence se consomme traditionnellement avec la bouillabaisse mais peut accompagner de nombreuses viandes et poissons froids, terrines, salades, etc.

Anchoïade

Préparation : 25 minutes
Cuisson : 25 minutes

Ingrédients pour 6 personnes :
12 filets d'anchois au sel,
8 gousses d'ail,
1 filet de vinaigre de vin,
1/4 l d'huile d'olive environ,
poivre du moulin.

Mettez les gousses d'ail non épluchées à cuire à four chaud pendant 20 à 30 minutes environ dans un plat légèrement huilé. Laissez-les refroidir puis épluchez-les et écrasez l'ail à l'aide d'une fourchette afin d'en faire une purée. Réservez.

Pendant ce temps, nettoyez les filets d'anchois en enlevant l'arête centrale, dessalez-les sous l'eau du robinet. Mettez-les ensuite à fondre, sur feu très doux, dans une casserole avec 3 ou 4 cuillerées d'huile d'olive, 2 pincées de poivre fraîchement moulu. Remuez doucement jusqu'à ce que cela devienne une pommade. Ajoutez alors la purée d'ail, mélangez bien le tout et, hors du feu, ajoutez le restant d'huile d'olive et le filet de vinaigre.

Cette sauce se consomme chaude ou froide. Elle accompagne toutes sortes de légumes crus comme le céleri vert en branches, les endives, la salade frisée, les cardes, le chou fleur, les carottes.

L'anchoïade appelée « pébrade » en provençal se conserve pendant quelques semaines dans le réfrigérateur dans un bocal en verre. Vous pouvez l'utiliser comme vinaigrette pour la salade frisée. Elle peut servir d'assaisonnement aussi pour une salade de pommes de terre froides.

Beurre provençal

Préparation : 10 minutes

Ingrédients pour 6 personnes :
100 g de beurre,
2 gousses d'ail,
2 échalotes,
6 câpres,
1 pincée de persil haché,
1 pincée d'estragon frais haché,
1 pincée de cerfeuil frais haché,
sel,
poivre du moulin.

Épluchez les gousses d'ail et écrasez-les à l'aide d'un presse-ail. Émincez les échalotes. Réservez.

Mélangez l'ail, les fines herbes, le persil, l'échalote, les câpres, le sel et le poivre avec le beurre ramolli. Malaxez bien la préparation en lui donnant la forme d'un rouleau que vous mettez au frais. Coupez-le en fines rondelles au moment de l'utiliser.

Le beurre provençal peut-être utilisé cru pour accommoder les pommes de terre cuites dans la cendre ou bien peut être employé chaud pour napper des brochettes de viande ou de poissons.

Coulis de tomates

Préparation : 15 minutes
Cuisson : 15 minutes

Ingrédients pour 6 personnes :
1 kg de tomates bien mûres,
1 oignon,
2 gousses d'ail,
basilic frais,
estragon frais,
origan,
thym,
ciboulette fraîche,
1 feuille de laurier,
1 pincée de sucre,
huile d'olive,
sel,
poivre du moulin.

Épluchez et épépinez les tomates. Coupez-les en morceaux. Réservez.

Faites revenir l'oignon et l'ail émincés dans 4 cuillerées à soupe d'huile d'olive pendant 3 ou 4 minutes sur feu doux au fond d'une poêle. Ajoutez alors les tomates avec une grosse pincée de basilic, d'estragon et de ciboulette hachés, une petite pincée d'origan et de thym, le laurier, une cuillerée à café de sucre, sel et poivre. Laissez réduire la préparation pendant 10 minutes environ. Mixez les tomates dans le robot. Vous devez obtenir un coulis velouté d'une couleur presque orangée qui se consomme chaud ou froid.

Le coulis de tomates est une des bases de la cuisine provençale. Il peut, à lui seul, constituer une sauce pour accompagner un poisson, napper un gâteau de légumes, une terrine ou accompagner des pâtes.

Essayez d'avoir en permanence, en congélation, des réserves de coulis de tomates. Vous pouvez le conserver dans des bacs à glaçon dans le congélateur. C'est très pratique car c'est vite décongelé et vous le consommez au fur et à mesure de vos besoins.

Crème d'ail

Préparation : 15 minutes
Cuisson : 30 minutes

Ingrédients pour 6 personnes :
5 têtes d'ail blanc de préférence *(il est moins fort)*,
25 cl de bouillon de volaille,
150 g de crème fraîche épaisse,
6 feuilles de basilic,
1 pincée de fleurs de thym frais,
beurre huile d'olive,
sel,
poivre du moulin.

Mettez les gousses d'ail épluchées, à blanchir dans un demi-litre d'eau pendant 5 minutes environ (vous pouvez changer l'eau 2 fois pendant la cuisson). Égouttez les gousses.

Mettez l'ail dans une grosse papillote de papier d'aluminium en l'arrosant avec 2 cuillerées d'huile d'olive et en le saupoudrant d'une pincée de sucre. Faites cuire à four chaud pendant 15 minutes.

Disposez l'ail maintenant dans une casserole, ajoutez le bouillon de volaille puis la crème fraîche, le basilic, le sel, le poivre et le thym. Écrasez et mélangez bien l'ensemble. Laissez cuire pendant 15 minutes. Incorporez, hors du feu, 30 g de beurre cru à la préparation que vous allez passer dans le mixer. Rectifiez l'assaisonnement.

Cette sauce se sert chaude et accompagne les viandes grillées ou rôties de bœuf, de porc, et surtout d'agneau.

Crème de champignons

Préparation : 15 minutes
Cuisson : 15 minutes

Ingrédients pour 6 personnes :
300 g de champignons frais
de Paris,
1 échalote,
1 cuillerée à soupe de crème
fraîche,
1 cuillerée à café de maïzena,
2 dl de bouillon de volaille,
beurre,
sel,
poivre du moulin.

Épluchez l'échalote et les champignons puis hachez-les très finement. Faites-les étuver dans 3 cuillerées à soupe de beurre au fond d'une poêle pendant 10 minutes. Salez, poivrez. Réservez.

D'autre part, faites fondre une cuillerée à soupe de beurre dans une casserole, ajoutez une cuillerée à café de maïzena en mélangeant vivement les deux ingrédients. Mouillez progressivement avec le bouillon chaud de volaille, laissez bouillir à petit feu pendant 3 ou 4 minutes environ jusqu'à ce que la sauce épaississe sans cesser de fouetter. Salez légèrement à cause du bouillon, poivrez.

Mélangez les champignons et l'échalote avec la sauce. Ajoutez une cuillerée à soupe de crème fraîche, donnez un tour d'ébullition. Rectifiez l'assaisonnement.

Cette sauce aux champignons se sert chaude. Elle peut accompagner des volailles et des viandes rôties blanches ou rouges.

Crème de poivrons rouges

Préparation : 15 minutes
Cuisson : 30 minutes

Ingrédients pour 6 personnes :
500 à 600 g de poivrons
rouges,
1 gros oignon,
2 gousses d'ail,
4 tomates mûres, pelées et
épépinées,
50 g de crème fraîche,
huile d'olive,
1 pincée de sucre,
1,5 dl d'eau,
sel,
poivre du moulin.

Faites revenir l'oignon et l'ail émincés dans trois cuillerées à soupe d'huile au fond d'une casserole, sur feu doux jusqu'à ce qu'ils blondissent.

Pendant ce temps, coupez les poivrons en dés après avoir enlevé les graines. Mettez-les dans la casserole avec les oignons, ajoutez les tomates, salez, poivrez, mouillez avec l'eau. Laissez reprendre l'ébullition, puis couvrez et laissez cuire, sur feu moyen, pendant une demi-heure.

Versez la préparation dans le robot avec la crème fraîche et la pincée de sucre. Mixez le tout et rectifiez l'assaisonnement.

Servir tiède. Cette crème onctueuse et savoureuse accompagne les poissons grillés ou les préparations à base d'œufs, comme une omelette ou le gâteau d'asperges (voir la recette dans la rubrique « Légumes »).

Rouille

Épluchez les gousses d'ail et écrasez-les à l'aide d'un presse-ail. Faites tremper la mie de pain dans le lait et écrasez-la à l'aide d'une fourchette.

Mélangez énergiquement la pulpe d'ail crue avec les piments écrasés et la mie de pain, puis ajoutez 2 ou 3 cuillerées à soupe d'huile d'olive, le concentré de tomates, sel, poivre et enfin le bouillon de poisson. Fouettez bien l'ensemble jusqu'à obtention d'une sauce un peu consistante.

On peut piler et mélanger à la préparation un morceau de foie de poisson (de dorade de préférence) et une cuillerée de concentré de tomates.

Cette sauce accompagne la bouillabaisse et les soupes de poissons. Elle se consomme froide et doit être assez forte (à vous de doser la quantité de piments suivant les goûts).

Sauce à l'estragon

Préparation : 5 minutes
Cuisson : 15 mn environ

Ingrédients pour 6 personnes :
4 échalotes hachées,
3 cuillerées à soupe de
vinaigre de vin,
12 feuilles d'estragon haché,
1/4 l de vin blanc sec,
2 cuillerées à soupe de
crème fraîche,
100 g de beurre,
sel,
poivre du moulin.

Épluchez et émincez très finement les échalotes. Mettez-les dans une casserole avec le vinaigre. Faites réduire la préparation, sur feu doux, jusqu'à évaporation complète.

Mouillez maintenant avec le vin, laissez réduire encore presque jusqu'à évaporation complète et versez la crème fraîche. Portez à ébullition puis, incorporez, hors du feu, le beurre par petits morceaux à l'aide d'un fouet et versez enfin l'estragon, salez et poivrez.

Cette sauce peut accommoder aussi bien des poissons cuits au four que des viandes de bœuf poêlées ou rôties.

Sauce aux fines herbes

Préparation : 10 minutes

Ingrédients pour 6 personnes :
125 g de crème fraîche,
1 cuillerée à café de
moutarde,
2 brins de cerfeuil frais,
7 ou 8 feuilles de basilic
frais,
7 ou 8 feuilles d'estragon
frais,
5 ou 6 brins de ciboulette
fraîche,
1 pointe de piment de
cayenne,
1 cuillerée à soupe de jus de
citron,
sel,
poivre du moulin.

Hachez finement les fines herbes. Mélangez simplement dans un bol la moutarde avec la crème fraîche, les fines herbes, le jus de citron, le piment, le sel et le poivre. Mettez la préparation dans le réfrigérateur.

Cette sauce se consomme froide. Elle accompagne des terrines de poisson froides et des crudités comme les concombres, les asperges…

Sauce aux tomates crues

Préparation : 10 minutes

Ingrédients pour 6 personnes :
6 grosses tomates bien
mûres,
3 cuillerées à soupe de
crème fraîche,
1 pincée de basilic frais
haché,
1 pincée de cerfeuil haché,
1 pincée d'estragon frais,
1 pincée de persil
haché,
sel,
poivre du moulin.

Épluchez les tomates. Mixez-les dans le robot avec la crème fraîche, le persil, le basilic, l'estragon, sel et poivre. Vérifiez l'assaisonnement.

Ce coulis de tomates crues se sert frais et constitue une sauce fruitée qui accompagne bien les poissons grillés. Vous pouvez utiliser cette sauce également pour napper un flan à la tomate qui se sert chaud (consultez la recette dans la rubrique « Légumes »).

Sauce chaude aux anchois

Préparation : 10 minutes
Cuisson : 7 minutes

Ingrédients pour 6 personnes :
15 filets d'anchois dessalés,
2 gousses d'ail,
2 cuillerées à soupe de
crème fraîche,
2 cuillerées à soupe de
vinaigre de vin,
huile d'olive,
150 g de beurre,
sel,
poivre du moulin.

Mettez les anchois à fondre avec 3 cuillerées à soupe d'huile d'olive et l'ail écrasé au fond d'une casserole, sur feu doux. Mélangez bien de façon à obtenir la consistance d'une purée, ajoutez le vinaigre et laissez cuire pendant 3 ou 4 minutes.

Versez la crème fraîche, amenez la préparation à ébullition puis incorporez, hors du feu, le beurre par parcelles à l'aide d'un fouet, poivrez, vérifiez l'assaisonnement.

Cette sauce peut être servie avec un filet de bœuf rôti.

Sauce safranée

Préparation : 5 minutes
Cuisson : 10 minutes

Ingrédients pour 6 personnes :
1 échalote,
2 cuillerées à soupe de
crème fraîche,
3 dl de fumet de poisson
ou à défaut de bouillon
de poisson,
50 g de beurre,
1 pincée de filaments de
safran,
sel,
poivre du moulin.

Épluchez l'échalote et hachez-la finement. Faites revenir l'échalote avec une noix de beurre au fond d'une casserole, sur feu doux.

Mouillez avec le fumet, laissez réduire pendant 5 ou 6 minutes, puis ajoutez la crème fraîche. Salez, poivrez. Laissez cuire pendant 3 ou 4 minutes encore, et incorporez le beurre, hors du feu, à l'aide d'un fouet ainsi que le safran. Rectifiez l'assaisonnement et servez chaud.

Cette sauce peut accommoder un feuilleté de poisson ou un poisson en papillote.

Sauce vinaigrette

Préparation : 3 minutes

Ingrédients pour 6 personnes :
1 gousse d'ail violet ou 2
gousses d'ail blanc (dont vous
enlevez les germes),
1 filet de vinaigre de vin,
2 pincées de ciboulette
hachée,
huile d'olive,
sel,
poivre du moulin.

Épluchez les gousses d'ail, enlevez les germes et écrasez-les à l'aide d'un presse-ail.

Mettez la purée d'ail au fond d'un saladier, ajoutez le filet de vinaigre, la ciboulette, le poivre, remuez, puis versez l'huile d'olive et fouettez le tout à l'aide d'une fourchette pendant une minute.

Disposez la salade verte bien égouttée dans le saladier, salez les feuilles seulement maintenant. Mélangez bien la sauce avec la salade et servez-la immédiatement.

Cette vinaigrette à l'ail convient bien aux salades vertes et particulièrement aux salades frisées. Vous pouvez l'utiliser aussi pour une salade de tomates.

Tapenade

Préparation : 15 minutes

Ingrédients pour 6 personnes :
200 g d'olives noires
dénoyautées *(de Nyons, de
préférence),*
8 filets d'anchois au sel,
1 gousse d'ail,
10 feuilles de basilic frais,
3 pincées de câpres au
vinaigre,
5 cl d'huile d'olive environ,
poivre du moulin.

Nettoyez les filets d'anchois en enlevant l'arête centrale et dessalez-les sous l'eau du robinet.

Mettez-les dans un mixer avec les olives noires dénoyautées, les câpres, le poivre, le basilic, l'ail et une partie de l'huile d'olive. Broyez le tout, la consistance doit être épaisse, à vous de juger si vous devez rajouter de l'huile, rectifiez l'assaisonnement.

La tapenade est une purée d'olives qui peut avoir de nombreuses utilisations.

J'ai eu l'occasion de déguster, au moment de l'apéritif, une superposition de 3 couches composées de mayonnaise, de coulis de tomates et de tapenade servies dans un petit verre transparent de façon à ce que l'on voit les différentes couches. Essayez de goûter. C'est joli et délicieux. Chaque couche doit représenter la valeur d'une cuillerée à café.

On peut garnir d'une ou 2 cuillerées à café de tapenade des rectangles de pâte feuilletée qui constituent alors une entrée que l'on peut servir avec une salade verte.

Vous pouvez également farcir l'intérieur de certains poissons de mer d'une ou 2 cuillerées de tapenade avant de les braiser au four ou en mélanger quelques cuillerées dans les pâtes fraîches.

Enfin, sachez que vous pouvez conserver la tapenade dans un bocal dans le réfrigérateur pendant quelques semaines.

Desserts

Beignets d'abricots

**Préparation : 25 minutes
+ 30 minutes de repos pour
la pâte
Cuisson : 15 minutes**

Ingrédients pour 6 personnes :
1 douzaine d'abricots,
225 g de farine,
2 jaunes d'œuf,
2 blancs d'œuf,
2 cuillerées à soupe d'huile,
2 dl d'eau,
1 pincée de sel,
1 pincée de vanille,
sucre en poudre,
3 cuillerées à soupe de
kirsch,
1 l d'huile de friture.

Mélangez dans une terrine la farine, le sel, les jaunes d'œuf et l'huile. Versez progressivement l'eau tiède jusqu'à ce que vous obteniez une pâte lisse et assez liquide. Laissez-la reposer pendant une demi-heure.

Pendant que la pâte repose, ouvrez les abricots en deux, dénoyautez-les. Mettez-les dans un saladier et saupoudrez-les avec 5 ou 6 cuillerées à soupe de sucre, la vanille et arrosez-les avec le kirsch. Mélangez bien le tout et laissez macérer pendant 15 minutes.

Reprenez le saladier où se trouve la pâte à frire et incorporez maintenant les deux blancs montés en neige fermement. Trempez alors chaque oreillon d'abricot dans la pâte et faites-les frire dans l'huile chaude mais non brûlante jusqu'à ce que les beignets soient dorés. Égouttez-les et saupoudrez-les de sucre.

Cerises aux épices

Préparation : 30 minutes
Cuisson : 20 minutes

Ingrédients pour 6 personnes :
1 kg de cerises noires,
1/4 l d'eau,
100 g de sucre,
2 pincées de vanille,
1 pincée de cannelle,
1 pincée de noix muscade moulue,
1 clou de girofle,
1 écorce d'orange,
4 ou 5 feuilles de menthe fraîche,
1 verre de malaga.

Portez à ébullition l'eau avec le sucre et toutes les épices dans une casserole. Laissez frémir pendant 10 minutes. Couvrez et laissez infuser la préparation pendant 10 minutes.

Pendant ce temps, dénoyautez les cerises, mettez-les dans le sirop, amenez-les à ébullition et laissez-les cuire à feu doux pendant 15 à 20 minutes. Retirez du feu et versez le malaga dans la casserole. Laissez refroidir et mettez la préparation dans le réfrigérateur.

Ces cerises se consomment très fraîches, vous pouvez les proposer avec une boule de glace à la vanille.

Chichis

**Préparation : 10 minutes
+ 1 heure de repos pour la
pâte
Cuisson : 4 à 5 minutes par
bassine de friture**

Ingrédients pour 6 personnes :
500 g de farine,
1/2 paquet de levure de
boulanger,
2 cuillerées à soupe d'eau de
fleurs d'oranger,
1 dl d'eau tiède,
1 pincée de sel,
2 sachets de sucre vanillé,
1 l d'huile de friture.

Délayez la levure avec quelques cuillerées d'eau dans un bol. Mélangez-la maintenant avec la farine, le sel, l'eau de fleur d'oranger, le sucre vanillé et l'eau tiède. La consistance de la pâte doit être très souple et élastique. Laissez-la reposer pendant une heure dans un endroit tiède.

Coupez la pâte en morceaux allongés, en forme de ruban, de 20 cm x 7 cm de large environ. Faites-les frire dans la bassine de friture chaude mais non bouillante pendant 3 ou 4 minutes jusqu'à ce que les beignets soient dorés. Épongez-les avec du papier absorbant en les sortant de la bassine et roulez-les immédiatement dans du sucre en poudre.

Comme tous les beignets, le chichi doit se consommer dès qu'il vient d'être cuit. On en trouve encore de nos jours dans les fêtes votives de Provence.

Clafoutis aux abricots

**Préparation : 25 minutes
+ 30 minutes de repos
pour la pâte
Cuisson : 40 minutes**

Ingrédients pour 6 personnes :
800 g d'abricots mûrs,
100 g de miel liquide.

Pour la pâte :
300 g de farine,
125 g de beurre,
100 g de sucre,
5 jaunes d'œuf.

Pour l'appareil :
2 jaunes d'œuf,
2 œufs entiers,
100 g de sucre en poudre,
1 cuillerée à soupe de farine,
250 g de crème fraîche.

Coupez les abricots en deux, dénoyautez-les. Faites chauffer le miel dans une poêle au revêtement antiadhésif et disposez les abricots dès que le miel commence à blondir. Faites-les revenir, sur feu doux, pendant 10 minutes jusqu'à ce qu'ils soient légèrement colorés. Égouttez-les.

Préparez la pâte en mélangeant délicatement dans un saladier le beurre mou et le sucre avec les doigts. Ajoutez les jaunes d'œuf et versez progressivement la farine en pétrissant doucement toujours avec les doigts. La pâte est collante, farinez-la légèrement et laissez-la reposer pendant une demi-heure dans le réfrigérateur.

Sortez la pâte du réfrigérateur, abaissez-la au rouleau sur une plaque farinée et disposez-la au fond du moule à tarte.

D'autre part, battez deux œufs entiers et deux jaunes avec le sucre, la farine et la crème fraîche.

Disposez les abricots sur la pâte et versez l'appareil dessus. Enfournez à four chaud pendant 30 minutes environ.

Ce clafoutis se mange tiède, saupoudré de sucre glace.

Coulis de fraises

Préparation : 10 minutes

Ingrédients pour 6 personnes :
400 g de fraises,
4 cuillerées à soupe de sucre en poudre,
4 cuillerées à soupe de crème fraîche épaisse.

Équeutez les fraises et lavez-les dans une passoire sous l'eau du robinet, sans les faire tremper dans l'eau.

Mettez les fraises dans le robot avec le sucre et la crème fraîche, mixez pendant 2 minutes de façon à obtenir un coulis bien lisse. Mettez-le dans le réfrigérateur.

Ce coulis peut constituer un dessert en lui-même. Toutefois vous pouvez l'utiliser pour napper du fromage blanc frais ou une glace à la vanille ou à la fraise. C'est un dessert qui est très vite fait et qui valorise une simple boule de glace.

Crème caramel à la cannelle

Préparation : 15 minutes
Cuisson : 40 minutes

Ingrédients pour 6 personnes :
3/4 l lait entier,
1/4 l crème liquide,
7 œufs entiers,
3 jaunes d'œuf,
10 cuillerées à soupe de sucre en poudre,
un morceau d'écorce de citron vert,
une pincée de cannelle,
10 carreaux de sucre,
le jus d'un 1/2 citron pressé.

Faites chauffer le lait et la crème dans une casserole avec une pincée de vanille, une pincée de cannelle et l'écorce de citron jusqu'à ébullition. Enlevez la casserole du feu. Réservez.

Préparez maintenant le caramel en faisant fondre les carreaux de sucre imbibés de 2 ou 3 cuillerées d'eau dans une petite casserole avec le jus de citron. Laissez chauffer jusqu'à ce que le caramel soit roux.

Pendant ce temps, fouettez les œufs avec le sucre dans le mixer et versez le lait bouillant dessus en ayant soin d'enlever l'écorce de citron. Mélangez pendant quelques secondes.

Dès que le caramel est prêt, versez-le dans un plat profond allant au four et versez la préparation à base d'œufs dessus.

Faites cuire la crème caramel au bain-marie pendant 35 à 40 minutes à four chaud. Sortez le plat du four et laissez refroidir quelques heures avant de démouler.

Ce dessert se mange très froid. Vous pouvez le réaliser la veille, il n'en sera que meilleur.

Flan des vendangeurs

Préparation : 30 minutes
Cuisson : 30 minutes

Ingrédients pour 6 personnes :
3/4 l de lait entier,
1 pincée de vanille,
6 œufs entiers,
2 jaunes d'œuf,
9 cuillerées de sucre en
poudre,
30 g de beurre,
2 ou 3 grappes
de raisins blancs de
variété « chasselas ».

Pelez et épépinez les grains de raisin et disposez une petite poignée de grains au fond de 6 ramequins beurrés individuels allant au four.

D'autre part, fouettez dans un robot les œufs et le sucre puis ajoutez le lait bouillant vanillé dessus, mixez bien le tout et versez la préparation dans les ramequins et faites cuire au bain-marie, à four chaud pendant 30 minutes environ.

Sortez les flans du four, laissez-les refroidir et mettez-les dans le réfrigérateur. Ils se consomment très frais.

Fraises au vin rouge

Préparation : 20 minutes
Cuisson : 2 h de marinade

Ingrédients pour 6 personnes :
1 kg de fraises,
1/2 bouteille de vin rouge de qualité,
3 ou 4 cuillerées à soupe d'eau,
2 cuillerées à soupe de sucre en poudre,
2 oranges,
4 cuillerées à soupe de cointreau,
1 boule de glace à la vanille par personne.

Lavez et équeutez les fruits. Disposez 250 g de fraises au fond d'un saladier, versez le vin, l'eau, le sucre et le cointreau que vous aurez préalablement mélangés et ajoutez les oranges finement tranchées. Laissez macérer pendant deux heures dans le réfrigérateur. Mettez les autres fraises saupoudrées de sucre dans le réfrigérateur.

Au moment de servir, mélangez les fraises simplement sucrées avec celles qui ont macéré.

Disposez d'abord une boule de glace arrosée de deux cuillerées de jus de macération dans des coupelles individuelles, et recouvrez maintenant de fraises.

Ce dessert se consomme très frais.

Fruits chauds d'hiver en papillotte

Préparation : 15 minutes
Cuisson : 8 minutes

Ingrédients pour 6 personnes :
6 bananes,
3 pommes,
50 g de raisins de Corinthe,
sucre en poudre,
cannelle,
50 g de beurre,
2 ou 3 cuillerées à soupe de rhum.

Épluchez les pommes, émincez-les en lamelles, saupoudrez-les avec 2 cuillerées à soupe de sucre et faites-les revenir dans une poêle avec deux cuillerées à soupe de beurre, les raisins de Corinthe et le rhum pendant 7 à 8 minutes.

Beurrez 6 feuilles de papier d'aluminium où vous disposez une banane coupée en deux dans le sens de la longueur saupoudrée de sucre en poudre et aspergée d'un filet de rhum, quelques lamelles de pomme cuites avec les raisins, une petite pincée de cannelle, une noisette de beurre.

Fermez la papillote de façon bien hermétique et enfournez à four chaud pendant 8 minutes.

Retirez du four et servez aussitôt. Ce petit dessert est rapide et simple à faire. Vous pouvez le réaliser avec d'autres fruits suivant les saisons.

Gâteau au chocolat de grand-mère Yvonne

Préparation : 15 minutes
Cuisson : 25 minutes

Ingrédients pour 6 personnes :
200 g de chocolat noir,
1 cuillerée à soupe
de farine,
1/2 sachet de levure
chimique,
120 g de sucre en poudre,
100 g de beurre,
3 œufs.

Faites fondre le chocolat noir avec deux cuillerées à soupe d'eau dans une casserole, sur feu doux, en le remuant régulièrement jusqu'à ce que vous obteniez une consistance très lisse. Ajoutez alors le beurre coupé en parcelles et mélangez-le bien au chocolat. Enlevez la casserole du feu.

Fouettez les jaunes d'œuf avec le sucre et mélangez-les bien avec le chocolat fondu. Ajoutez maintenant la levure, la farine, remuez le tout avec une cuillerée en bois et incorporez les blancs montés très fermement en neige à la préparation.

Beurrez un moule à cake et versez la préparation à l'intérieur. Faites cuire à four moyen pendant 20 à 25 minutes. Ce gâteau ne doit pas être trop cuit, c'est ainsi qu'il sera moelleux. Testez sa cuisson en plantant la lame d'un couteau à l'intérieur, elle doit ressortir propre sur les bords du gâteau et encore légèrement nappée de chocolat au centre.

Ce gâteau est facile à réaliser, il se sert très frais. Vous pouvez le napper d'une crème anglaise ou d'une sauce à l'orange crue.

Gratin de framboises au sabayon

Préparation : 20 minutes
Cuisson : 3 ou 4 minutes

Ingrédients pour 6 personnes :
750 g de framboises.

Pour le sabayon :
6 jaunes d'œuf,
80 g de sucre,
1 pincée de farine,
4 cuillerées à soupe d'eau,
4 cuillerées à soupe de vin blanc sec,
4 cuillerées à soupe de jus d'orange,
1/4 l de crème fraîche (liquide de préférence),
2 cuillerées à soupe d'alcool de framboise.

Fouettez les jaunes d'œuf, la farine, le sucre, l'eau, le vin blanc et le jus d'orange dans un bol, au bain marie, sur feu doux jusqu'à ce que le mélange devienne mousseux et onctueux (cela ira plus vite si vous utilisez un fouet électrique). Laissez refroidir. Incorporez l'alcool de framboise. Réservez.

Disposez les framboises dans un plat à gratin beurré. Fouettez la crème fleurette en chantilly et ajoutez-la délicatement au sabayon refroidi.

Versez la préparation sur les fruits et faites gratiner le plat pendant 3 ou 4 minutes sous la salamandre du four. Servez aussitôt.

Vous pouvez réaliser ce gratin avec toutes sortes de fruits mélangés (kiwis, mangues, bananes, fraises, cerises, etc.) ou uniquement avec des fruits rouges (fraises, framboises, cerises, groseilles...).

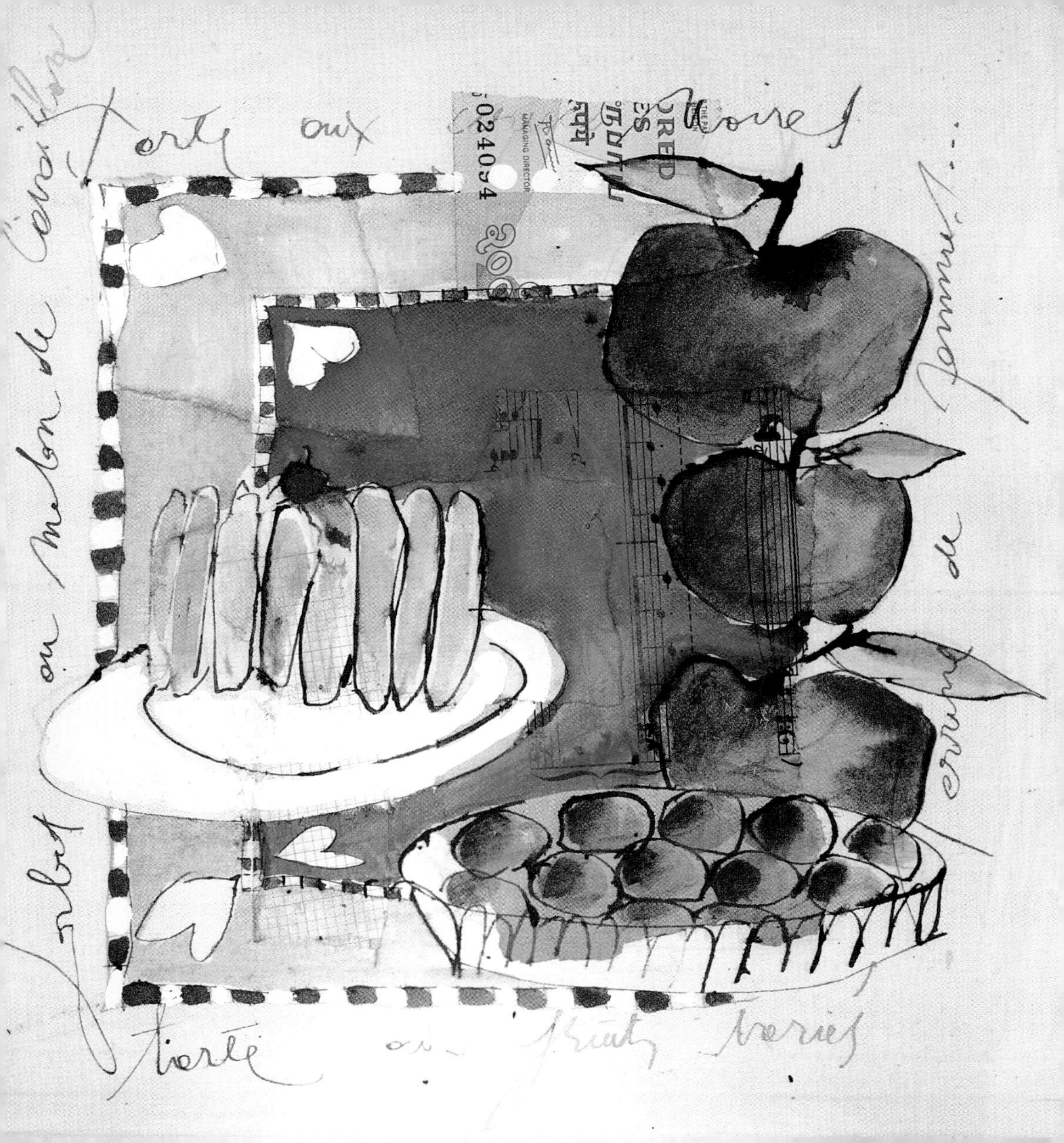
Tarte aux Poires
Sorbet au melon de Cavaillon
tarte aux fruits variés
5024054
MANAGING DIRECTOR

Les treize desserts provençaux de Noël

Préparation :

Ingrédients pour 6 personnes :
amandes,
confiture de coing,
dattes,
figues sèches,
noisettes,
noix,
nougat blanc,
nougat noir,
poires,
pommes,
pompe à huile,
prunes,
raisins secs.

Voici une liste des treize desserts qui sont servis le soir de Noël dans les maisons de pure tradition provençale. Ils sont au nombre de treize car ce chiffre symbolise Jésus et les douze apôtres. Certains remplacent de nos jours les fruits secs appelés « mendiants » par des oranges, mandarines, calissons d'Aix, oreillettes … et bien d'autres gourmandises.

Melon de Cavaillon
à la sauce mentholée

Préparation : 25 minutes
Cuisson : 3 h de macération

Ingrédients pour 6 personnes :
2 melons de taille moyenne
de Cavaillon,
1 dizaine de feuilles de
menthe fraîche.

Pour la sauce :
1/2 l de lait entier,
1 pincée de vanille,
6 jaunes d'œuf,
100 g de sucre en poudre,
1 cuillerée à soupe de grand-
marnier.

Ouvrez les melons en deux et enlevez les graines. Creusez la chair du melon à l'aide d'une cuillère à café ou encore mieux d'une cuillère « à pommes noisettes » pour en faire des boules. Disposez-les dans un saladier. Réservez.

Préparez la sauce en mélangeant vivement d'abord les jaunes d'œuf et le sucre dans une casserole. Réservez. Faites chauffer d'autre part le lait avec la vanille et versez-le, lorsqu'il est bouillant par petites quantités sur le mélange précédent en battant au fouet sur feu modéré jusqu'à obtention d'un léger épaississement. Ne faites jamais bouillir la préparation. Ajoutez, hors du feu le grand-marnier et les feuilles de menthe ciselées, laissez infuser. Réservez.

Versez la sauce froide sur les boules de melon, mélangez bien et mettez dans le réfrigérateur pendant trois heures environ.

Présentez le saladier de noisettes de melon décorées de quelques feuilles de menthe fraîche.

Ce dessert se consomme très frais. Vous pouvez le réaliser la veille, il n'en sera que plus parfumé. Mettez-le alors dans un récipient bien hermétique dans le réfrigérateur. Lorsque vous achetez un melon, il faut le choisir lourd car c'est généralement un signe de qualité.

Nougat glacé
aux fruits confits d'Apt

Préparation : 45 minutes

Ingrédients pour 6 personnes :
200 g de chocolat noir,
3 œufs,
125 g de beurre,
25 g de sucre en poudre,
100 g de cerneaux de noix,
200 g de fruits confits
(cerises et écorce d'orange),
50 g de raisins secs,
1 dl de rhum,
2 cuillerées à soupe de
cointreau ou de liqueur
d'orange.

Faites macérer les raisins secs dans le rhum pendant 15 minutes. Pendant ce temps, faites griller les cerneaux de noix pendant 10 minutes à four chaud dans un plat. Retirez-les, laissez-les refroidir, puis enlevez l'essentiel de la peau sèche des noix en les frottant dans vos mains. Réservez.

Découpez les fruits confits en petits morceaux. Réservez.

Faites fondre le chocolat noir, sur feu doux, avec 2 cuillerées à soupe d'eau sans cesser de remuer. Ajoutez le beurre coupé en morceaux et mélangez jusqu'à ce que vous obteniez une consistance lisse. Mettez la casserole hors du feu.

Séparez les jaunes des blancs d'œuf, incorporez les jaunes (bien mélangés, au préalable, avec les 25 g de sucre) au chocolat fondu, ajoutez les fruits confits, les raisins égouttés, les noix et le Cointreau. Remuez le tout.

Battez les blancs en neige avec une pincée de sel et incorporez-les à la préparation.

Versez la préparation dans un moule à cake tapissé de papier aluminium ou de film plastique alimentaire et mettez-la dans le congélateur pendant 3 h au minimum. Démoulez-le.

Vous pouvez servir le nougat glacé coupé en tranche nappé d'une crème anglaise.

Oreillettes de tante Gisèle

**Préparation : 35 minutes
+ 1 h de repos pour la pâte
Cuisson : 25 minutes**

Ingrédients pour 6 personnes :
450 g de farine,
125 g de beurre,
3 œufs,
1 zeste d'orange et 1 zeste de citron,
1/2 tasse d'eau de fleurs d'oranger,
1,5 l d'huile de friture vierge,
sucre glace.

Faites fondre le beurre tout doucement dans une casserole, cassez les œufs dans une jatte, fouettez-les en ajoutant le beurre fondu, l'eau de fleurs d'oranger et les zestes en incorporant progressivement la farine à ces ingrédients. Pétrissez bien l'appareil jusqu'à ce que vous obteniez une pâte souple. Laissez-la reposer pendant une heure au minimum sous un torchon dans un endroit tiède.

Saupoudrez la table de travail de farine. Divisez la pâte (qui doit être un peu élastique) en morceaux d'environ 50 g chacun et étalez-les très finement (2 milimètres environ) à l'aide d'un rouleau à pâtisserie. Chaque morceau va constituer une oreillette. Vous pouvez effectuer une ou deux petites fentes au milieu de l'oreillette à l'aide d'une roulette à pâtisserie, cela assure une meilleure cuisson.

Faites frire les oreillettes dans le bain de friture chaud mais pas bouillant en les retournant pour les faire dorer de chaque côté. Sortez-les de la poêle, égouttez-les dans une passoire puis sur du papier absorbant et saupoudrez-les de sucre glace.

Ce dessert est très répandu en Provence pendant les fêtes de Noël. Il fait partie des célèbres et traditionnels treize desserts provençaux (voir la recette dans la rubrique « Desserts ») pour la soirée de Noël. Vous pouvez pétrir la pâte la veille et la conserver au frais. Vous pouvez également ment frire les oreillettes la veille car elles se conservent pendant quelques jours, si vous les gardez dans un endroit sec.

Petits pavés
aux raisins de Corinthe

Préparation : 15 minutes
Cuisson : 5 minutes

Ingrédients pour 6 personnes :
100 g de raisins de Corinthe,
1 dl de rhum,
120 g de beurre,
120 g de sucre en poudre,
150 g de farine,
2 œufs.

Faites tremper les raisins secs pendant 10 minutes dans le rhum.

Pendant ce temps, mélangez le beurre mou avec le sucre, les œufs et la farine de façon à obtenir une pâte bien lisse. Ajoutez les raisins égouttés à la pâte en remuant bien le tout.

Recouvrez la plaque du four de papier sulfurisé et répartissez des petits tas de pâte de la valeur d'une cuillerée à café sur toute la surface.

Faites cuire les pavés pendant 5 minutes environ à four moyen. Ils doivent être à peine blonds pour rester moelleux.

Les pavés accompagnent bien une simple boule de glace. Cette recette est très vite réalisée et convient bien lorsqu'un invité arrive à l'improviste.

Pets de nonne ou beignets soufflés

Préparation : 10 minutes
Cuisson : 20 minutes

Ingrédients pour 6 personnes :
250 g de farine,
100 g de beurre,
1 verre d'eau,
6 œufs,
2 poignées de riz nature cuit
à l'eau et bien égoutté,
1 cuillerée à café de sucre,
1 cuillerée à café d'eau de
fleurs d'oranger,
1 zeste de citron,
1 pincée de sel,
1 l d'huile de friture vierge.

Mettez dans une casserole l'eau, le beurre coupé en morceaux, le sel et le sucre. Portez à ébullition et versez, hors du feu, la farine en travaillant énergiquement le mélange. Remettez la casserole sur feu doux et tournez jusqu'à ce que la pâte se détache de la casserole puis enlevez-la du feu.

Ajoutez alors les œufs un à un à la pâte en la travaillant bien entre chaque œuf. Versez l'eau de fleurs d'oranger et incorporez le zeste de citron et le riz. Réservez.

Faites chauffer l'huile de friture et versez quelques cuillerées à soupe de pâte à beignet dans l'huile chaude mais pas brûlante. Lorsque les beignets sont dorés des deux côtés, enlevez-les de la poêle à l'aide d'une écumoire et égouttez-les sur du papier absorbant.

Disposez les beignets dans un plat et saupoudrez-les de sucre.

Les pets de nonne se consomment chauds.

Pompes à l'huile

Préparation : 15 minutes
+ 3 h de repos pour la pâte
Cuisson : 30 minutes

Ingrédients pour 6 personnes :
500 g de farine,
20 g de levure de boulanger,
125 g de sucre en poudre,
1 dl d'huile d'olive,
3 cuillerées à soupe d'eau de
fleurs d'oranger,
7 à 8 cuillerées à soupe
d'eau,
25 g d'écorce d'orange
râpée,
1 cuillerée à café de grains
d'anis,
sel.

Délayez la levure dans 3 cuillerées à soupe d'eau tiède dans un bol. Réservez.

Dans un grand saladier, mélangez la farine avec l'huile d'olive, la levure, le sel, le sucre, l'anis, l'eau, et l'eau de fleurs d'oranger. Pétrissez bien la pâte, formez une boule et laissez-la reposer pendant 3 heures dans un endroit tiède.

La pâte a dû doubler de volume. Divisez-la alors en 3 ou 4 parts égales que vous aplatissez avec la paume de la main pour leur donner la forme d'une galette. Faites des dessins d'un demi-centimètre de profondeur à l'aide de la pointe d'un couteau sur le dessus des galettes (branche d'olivier par exemple), et mettez-les à cuire, à four chaud sur une plaque enduite d'huile d'olive pendant 25 à 30 minutes.

Les pompes à huile sont servies le soir de Noël en Provence et font partie des treize desserts traditionnels.

Pruneaux d'Agen en salade

**Préparation : 20 minutes
+ 2 h de réfrigération
Cuisson : 15 minutes**

Ingrédients pour 6 personnes :
500 g de pruneaux séchés,
1 morceau d'écorce d'orange
séchée *(3 ou 4 cm),*
2 pincées de vanille,
1 clou de girofle,
1 pincée de cannelle,
1 pincée de coriandre,
1 pointe de noix muscade,
1 dl de rhum,
1 cuillerée à café d'eau de
fleurs d'oranger,
40 g de sucre en poudre,
1/2 l d'eau.

Versez l'eau dans une casserole avec tous les ingrédients ci-contre à l'exception des pruneaux, faites-la frémir pendant 10 minutes. Couvrez la casserole et laissez infuser la préparation pendant 10 minutes.

Mettez maintenant les pruneaux dans la casserole et amenez-les doucement à ébullition, laissez-les cuire pendant 10 à 15 minutes. Enlevez la casserole du feu, laissez refroidir la préparation puis mettez-la dans le réfrigérateur pendant 2 heures.

Cette salade se sert fraîche. Elle accompagne très bien un gâteau de riz ou de semoule.

Vous pouvez aussi servir une crème anglaise parfumée au miel (ajoutez une cuillerée de miel liquide dans la crème) en accompagnement de la salade de pruneaux.

Salade de fruits épicée

Épluchez et dénoyautez tous les fruits à l'exception des oranges que vous pressez et dont vous réservez le jus. Coupez-les différents fruits en morceaux et disposez-les dans un saladier.

Mélangez maintenant le rhum avec le jus d'orange, la vanille, la cannelle et le sucre dans un mixer. Versez le mélange sur les fruits, et mettez la salade dans le réfrigérateur.

À consommer très frais.

Sauce aux abricots

Préparation : 10 minutes
Cuisson : 10 minutes

Ingrédients pour 6 personnes :
1 kg d'abricots,
200 g de sucre,
2 cuillerées à soupe de
crème fraîche,
1 dl d'eau,
1/2 citron pressé,
1 pincée de vanille,
2 cuillerées à soupe de
grand-marnier.

Ouvrez les abricots en deux et dénoyautez-les. Mettez-les dans une casserole avec l'eau, le sucre, le jus de citron et une pincée de vanille. Faites-les cuire pendant 10 minutes environ. Mixez-les dans le robot avec la crème fraîche et le grand-marnier. Assurez-vous que la sauce soit suffisamment sucrée (la quantité de sucre indiquée peut varier en fonction de la qualité des abricots). Laissez refroidir.

Cette sauce se sert froide en accompagnement d'une glace à la vanille, d'un fromage blanc frais ou d'un gâteau de riz au lait.

Sorbet au melon de Cavaillon

Préparation : 10 minutes

Ingrédients pour 6 personnes :
700 g de melon de
Cavaillon,
1/2 l d'eau,
30 cl de sucre de canne
liquide,
1 blanc d'œuf,
3 cuillerées à soupe de jus
de citron.

Épluchez le melon et découpez-le en morceaux. Mixez-le dans un robot avec l'eau, le sucre de canne et le jus de citron.

Battez le blanc d'œuf en neige très ferme, incorporez-le au mélange et mettez la préparation dans la sorbetière.

Soufflé aux marrons

Préparation : 40 minutes
Cuisson : 25 mn + 35 mn
pour griller les marrons

Ingrédients pour 6 personnes :
2 douzaines de marrons,
1/4 l de lait,
2 pincées de vanille en
poudre,
100 g de sucre en poudre,
125 g de beurre,
3 jaunes d'œuf,
2 blancs d'œuf.

Faites griller les marrons dans le four pendant 35 minutes. Enlevez les deux peaux des marrons et mettez-les dans une casserole en les recouvrant de lait, écrasez-les à l'aide d'une fourchette, ajoutez la vanille et laissez cuire doucement jusqu'à absorption du lait en remuant régulièrement.

Versez progressivement le sucre, mélangez bien et laissez complètement sécher la purée. Enlevez-la maintenant du feu et ajoutez le beurre sans cesser de remuer, puis incorporez les jaunes d'œuf un à un et enfin les blancs d'œuf battus en neige très fermement.

Beurrez un moule à soufflé, versez la préparation à l'intérieur et faites cuire au bain-marie pendant 25 minutes à four chaud. Démoulez et servez immédiatement le soufflé saupoudré de sucre en poudre.

Tarte sablée aux abricots

**Préparation : 20 minutes
+ 20 minutes de repos
pour la pâte
Cuisson : 35 à 40 minutes**

Ingrédients pour 6 personnes :
1 kg d'abricots mûrs *(je
recommande la variété
« Polonais »).*

Pour la pâte :
250 g de farine,
50 g de sucre glace,
150 g de beurre,
2 jaunes d'œuf,
2 cuillerées à soupe d'eau,
1 pincée de vanille.

Pour la crème :
1,5 dl de lait,
3 œufs,
100 g de sucre,
100 g de crème fraîche,
1 cuillerée à soupe de farine,
1 petite pincée de vanille.

Coupez les abricots en deux et dénoyautez-les. Réservez. Préparez la pâte sablée en mélangeant la farine avec le beurre mou, le sucre, l'œuf, l'eau additionnée d'une pincée de sel et la vanille (vous réussirez mieux la pâte si tous les ingrédients sont à la même température). Pétrissez la pâte du bout des doigts jusqu'à ce qu'elle soit compacte mais ne la travaillez pas trop. Formez une boule et laissez reposer la pâte dans le réfrigérateur pendant 15 à 20 minutes.

Pendant ce temps, versez le lait, les œufs, le sucre, la crème fraîche, la farine et la vanille dans le robot et mixez le tout.

Abaissez la pâte sablée au rouleau et étalez-la dans le moule à tarte beurré. Piquez le fond de tarte avec une fourchette. Disposez les abricots et versez la crème dessus. Saupoudrez de sucre. Enfournez à four chaud pendant 35 minutes environ.

Sortez la tarte du four et saupoudrez-la à nouveau de sucre car l'abricot est toujours un peu acide.

Cette tarte se consomme froide.

Afin d'atténuer l'acidité des abricots, on peut faire revenir les oreillons d'abricots dans 100 g de miel au fond d'une poêle au revêtement antiadhésif en les faisant légèrement caraméliser sur feu doux. Égouttez-les alors dans une passoire avant de les disposer sur le fond de tarte.

Tarte tatin aux figues fraîches

**Préparation : 30 minutes
+ 15 minutes de repos pour
la pâte
Cuisson : 45 minutes**

Ingrédients pour 6 personnes :
1 quinzaine de figues grises
ou violettes,
3 ou 4 cuillerées à soupe de
beurre,
3 cuillerées à soupe de sucre
en poudre.

Pour la pâte :
200 g de farine,
140 g de beurre,
1 œuf entier,
1 cuillerée à soupe d'eau
froide,
1 cuillerée à soupe de sucre,
1 pincée de sel.

Pour le caramel :
10 carreaux de sucre,
1/2 jus de citron,
2 cuillerées à soupe d'eau.

Mettez dans un saladier la farine avec le beurre mou, l'œuf, l'eau additionnée de sel, le sucre. Mélangez tous les ingrédients du bout des doigts jusqu'à obtention d'une pâte consistante mais assez souple. Formez une boule de pâte et mettez-la à reposer dans le réfrigérateur pendant 15 minutes au minimum.

Pendant ce temps, faites fondre le beurre au fond d'une casserole à fond épais (cuivre de préférence), saupoudrez-le de sucre et laissez légèrement caraméliser. Disposez alors les figues coupées en deux dans le plat et faites-les cuire à feu doux pendant 25 minutes environ en prenant soin de les faire dorer de tous côtés.

Étalez la pâte au rouleau (1/2 cm d'épaisseur) sur une planche farinée. Disposez les figues dorées au fond du moule à tarte et recouvrez-les de pâte en faisant un bourrelet tout autour du moule. Enfournez à four chaud pendant 20 minutes. La tarte doit être très légèrement dorée. Sortez-la du four, laissez-la refroidir pendant un moment et retournez le moule sur un plat à tarte de façon à voir les figues sur le dessus de la tarte.

Faites un caramel en faisant fondre le sucre, l'eau et le jus de citron dans une casserole. Lorsqu'il est légèrement roussi, versez-le sur les figues et étalez-le à l'aide d'une fourchette.

La tarte se consomme chaude, vous pouvez la napper avec de la crème fraîche.

Achevé d'imprimer en avril 2009,
sur les presses de l'imprimerie
Grafiche Zanini - Bologne - Italie
13ème édition